MAIS LEVE QUE O AR

Felipe Sali

MAIS LEVE QUE O AR

lote 42

Copyright © 2016 by Lote 42 para a presente edição.

Todos os direitos reservados. Nenhuma parte desta edição pode ser utilizada ou reproduzida – em qualquer meio ou forma, seja mecânico ou eletrônico, fotocópia, gravação etc. – nem apropriada ou estocada em sistema de banco de dados, sem a expressa autorização da editora.

Texto fixado conforme as regras do Novo Acordo Ortográfico da Língua Portuguesa (Decreto Legislativo no 54, de 1995).

Lote 42

EDIÇÃO GERAL João Varella, Cecilia Arbolave e Thiago Blumenthal
CAPA E PROJETO GRÁFICO Daniel Justi
ILUSTRAÇÕES DA CAPA E DO MIOLO Camila Barrera Daza
DIAGRAMAÇÃO Kalany Ballardin
PREPARAÇÃO Sofia Ruffier
REVISÃO Vivien Hermes Capecchi

1ª edição, 2016

Dados Internacionais de Catalogação na Publicação (CIP)
Odilio Hilario Moreira Junior CRB-8/9949

S165m Sali, Felipe
Mais leve que o ar / Felipe Sali. - São Paulo : Lote 42, 2016.
160 p. ; 16cm x 23cm.
ISBN: 978-85-66740-22-6
1. Literatura brasileira. 2. Fantasia. 3. Romance. 4. Aventura. I. Título.

2016-376	CDD B869
	CDU 821(81)

www.lote42.com.br
facebook.com/lote42
twitter.com/lote42
instagram.com/lote42
youtube.com/lote42

Mais Leve que o Ar é o livro nº 20 da Lote 42.

A todos que apoiaram
esta história quando ela
ainda era um punhado
de *bytes* vagando por aí.
Nós conseguimos.

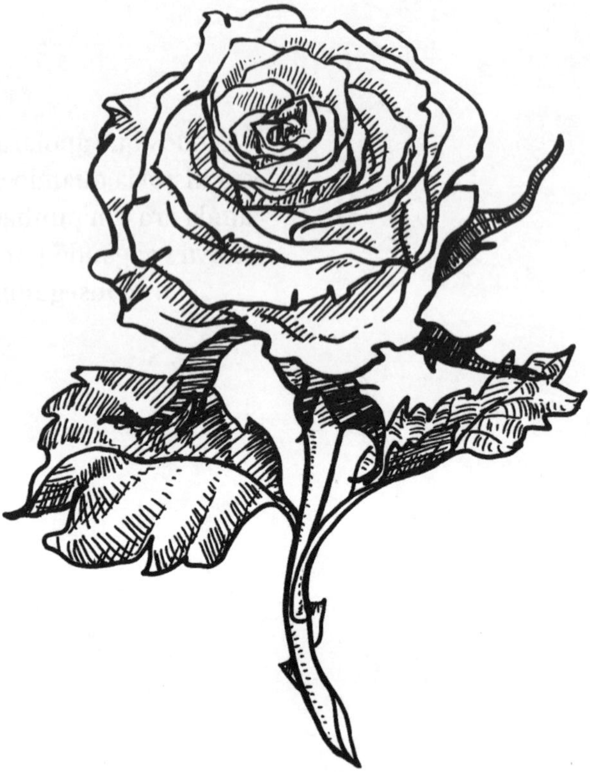

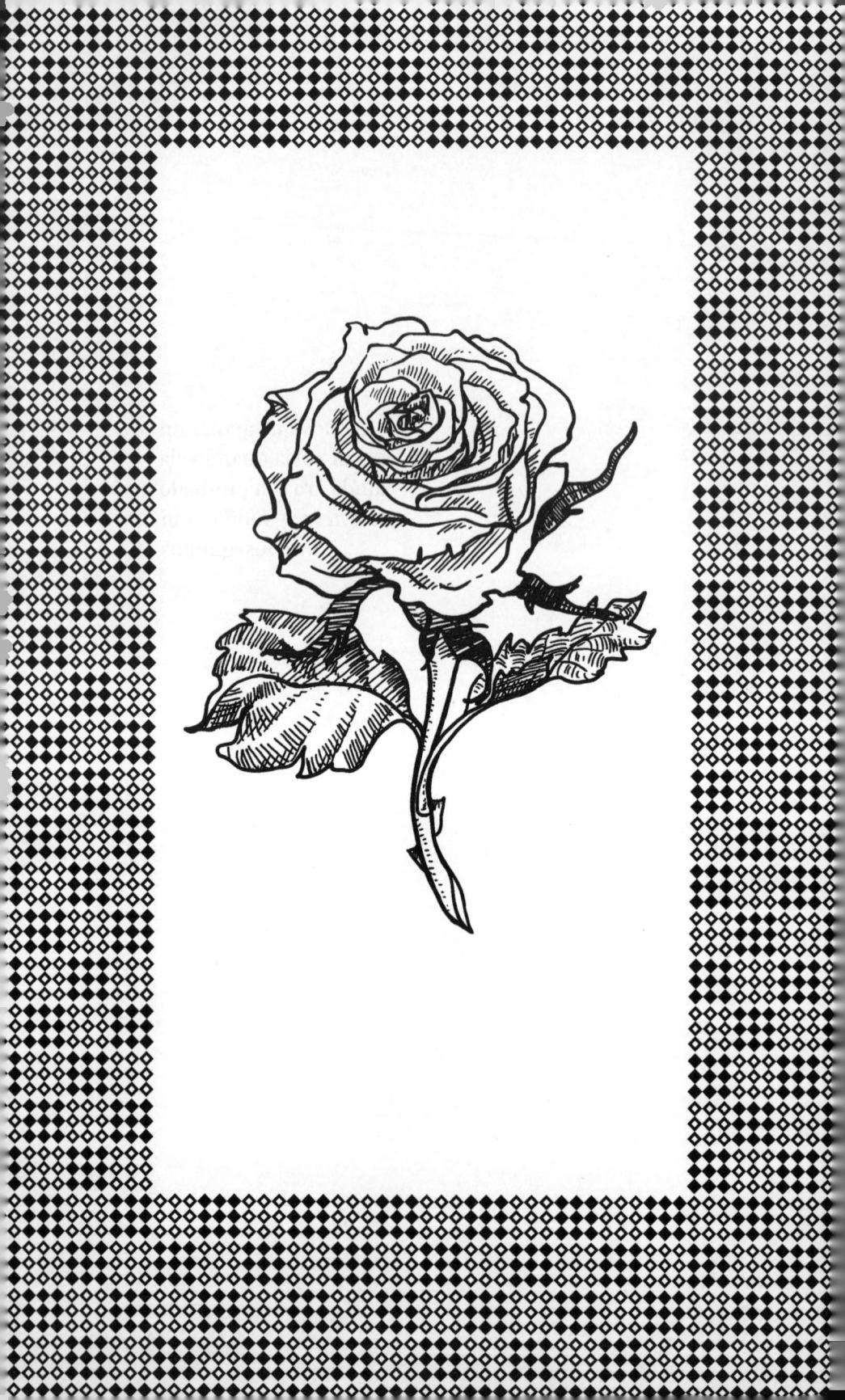

ANTES

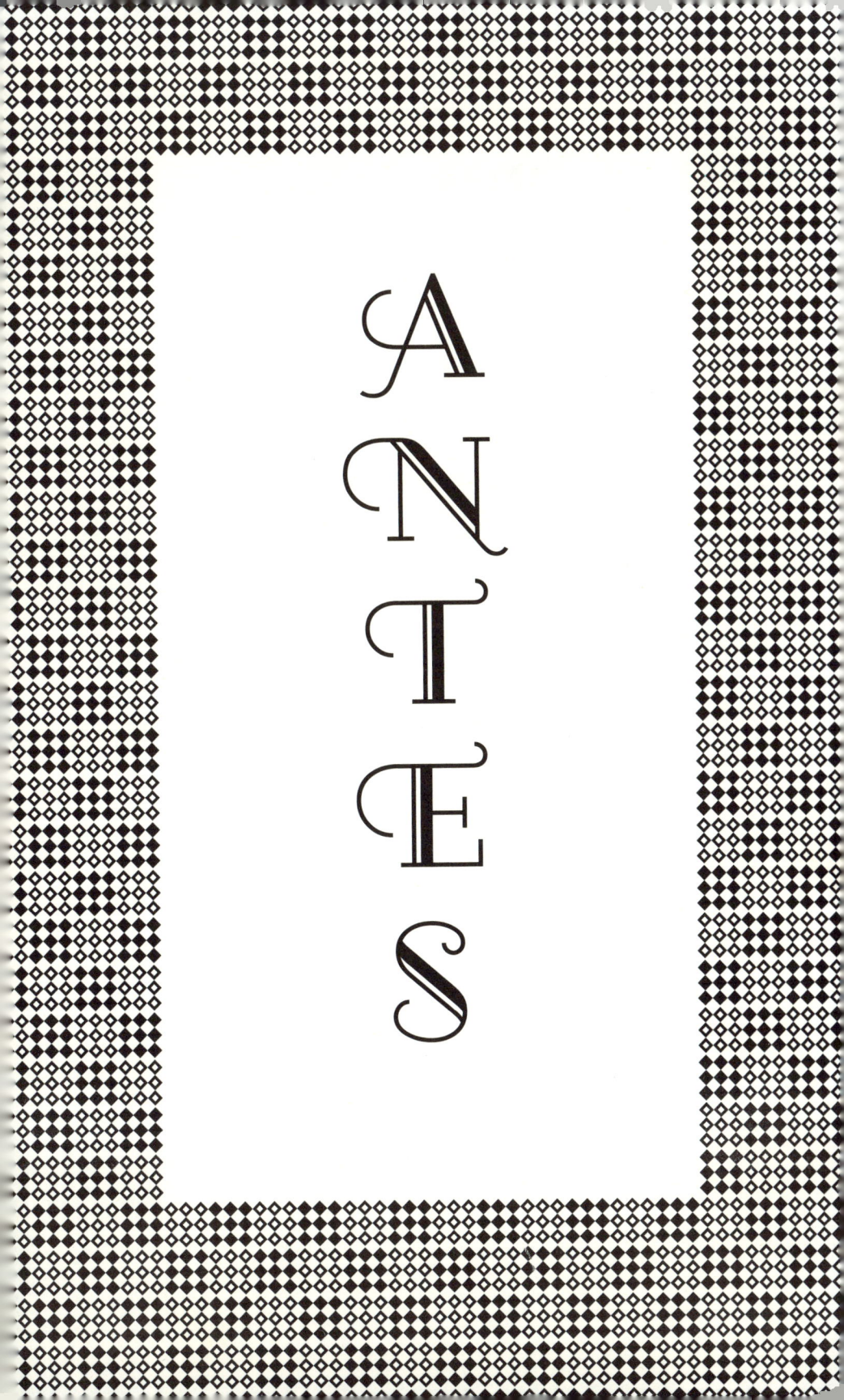

UM 〰〰〰〰〰〰〰

Embora seja proibido fora do templo, uma mulher do Reino de Amberlin pode fazer magia como quem toca um instrumento musical. A grande maioria não faz ideia de como funciona, mas qualquer uma é capaz de desenvolver a habilidade se houver dedicação por tempo o suficiente. Eu, por exemplo, aprendi a conjurar pequenas flores e plantas, o que se tornou a minha especialidade.

Melissa é uma das plantas mais fáceis de evocar e — quase como em um passe de clarividência não comprovada por parte da minha mãe — também é o meu nome.

No caminho para a escola, cuido de uma melissa em minha rua que eu discretamente conjurei. Ela é linda e me enche de orgulho.

Aos dezessete, estou no penúltimo ano do colégio. A perspectiva de crescimento profissional para uma filha de camponeses não é gigante, porém, se houver qualquer chance, por menor que seja, vou me agarrar a ela.

Depois de passar pelos portões da escola, busco um lugar discreto próximo do muro. Asseguro que não há ninguém por perto e pontuo minha chegada com os gestos necessários para fazer crescer magicamente uma rosa tão vermelha quanto possível. Com um giro final de meus pulsos, brota uma bela planta. Tive particular orgulho daquela criação: era maior do que uma rosa natural e possuía uma beleza quase artificial.

— Exibida! — ouvi uma voz logo atrás de mim.

Ao me virar, deparei com Marina, uma das minhas melhores amigas de classe. Ela andava em minha direção com um divertido sorriso no rosto.

— Não consegue passar um único dia sem mostrar os dotes mágicos? Uma hora vão prendê-la por isso.

— O que posso fazer? — brinquei de volta, empurrando um dos cachos de meu cabelo rebelde para trás da orelha. — É o meu talento natural. Ninguém se importará com uma simples rosa.

Rimos juntas e rumamos à sala de aula. Enquanto caminhávamos, imaginei o quanto a rosa conjurada chamaria a atenção das pessoas que passariam por ali, por aquele cantinho, nos próximos dias. Era divertido pensar sobre aquilo.

Já a aula em si era um tédio.

A professora de biologia nos passou um questionário (que terminei de responder em menos de dez minutos) e, em seguida, engrenou uma explicação um tanto quanto óbvia sobre como funciona o sistema imunológico. Doenças, bactérias, células, profilaxia, blá-blá-blá. Se pelo menos a aula fosse de botânica...

Em toda aula chata, gosto de olhar pela janela, para o céu.

O céu sempre me fascinou, um horizonte infinito.

Olhando à frente, em pé, nunca via horizontes muito surpreendentes: o reino é entulhado de casas e igrejas, que me impediam de enxergar muito além. Por esse motivo, eu costumava me intitular Garota Horizontelimitada.

Ao mirar o céu, conseguia ao menos imaginar como seria encarar um horizonte intimidador. Como o mar. Sempre tive vontade de ver o mar, mas isso os poucos recursos financeiros da minha família não permitiam.

Enquanto me perdia em encarar a janela, percebi que alguém fazia o mesmo olhando em minha direção. Sentado na cadeira ao lado da minha estava um garoto que eu nunca havia visto antes, de cabelos escuros e bagunçados, pele clara e roupas aparentemente caras demais. Levava na cabeça óculos esquisitos. Estranhei o fato de termos um aluno novo na sala bem no meio do ano letivo. Quando flagrou que eu o notei, não disfarçou e apenas sorriu corajosamente com o canto da boca.

Tão poucos meninos sorriem para mim sem motivo nenhum, por que não aproveitar o momento e sorrir de volta? A minha atitude o encorajou. O garoto pegou o caderno que estava em sua mesa, escreveu algo e levantou discretamente a folha, de forma que só eu pudesse ler: "Que aula bobinha é esta? Estão nos tratando como bebês!"

Achei graça. Peguei meu caderno e escrevi em resposta: "Não percebeu? Nós *somos* bebês!"

"Você não parece tanto... Estou vendo que já resolveu sua atividade do dia", ele continuou.

Tentei fingir um ar esnobe e, em tom de brincadeira, redigi em resposta: "Sou uma bebê esperta".

Ele: "Se já sabemos o que ensinarão aqui, por que ainda estamos neste lugar?"

Eu: "E para onde iríamos?"

Ele: "Podemos pensar nisso lá fora".

Por acaso aquele rapaz era maluco? Um parcial desconhecido aparece da noite para o dia na minha escola dizendo que já sabe tudo sobre a matéria e me convida para um passeio sem destino? Aceitar o convite ia absolutamente contra tudo que a minha personalidade havia construído até então.

Mas ninguém tem a obrigação de ser coerente o tempo todo.

— E então, garota esperteza? — falou o parcial desconhecido quando me encontrou do lado de fora da sala de aula, minutos depois do convite. — Posso saber seu nome?

— Claro! — respondi estendendo a minha mão, que ele prontamente beijou. — Eu me chamo Melissa.

— Lindo nome! — E em seguida acrescentou: — Acho que sei o lugar ideal para irmos hoje. Me acompanhe! — disse virando-se com um ar de animação.

— Espere! — gesticulei ainda no mesmo lugar. — Você não me disse o seu nome.

Ele parou e olhou de volta para mim com as sobrancelhas levemente arqueadas.

— Você não sabe quem eu sou?

— Não... Deveria saber?

O garoto deixou escapar uma risadinha de descrença, o que considerei uma atitude um tanto quanto esnobe.

— Você realmente não sabe quem eu sou?

— Realmente, não...

— Legal.

Esse "legal" parecia sincero, como se a minha ignorância sobre a existência dele fosse uma surpresa bem-vinda.

— Meu nome é Pablo — e, assim, o garoto parcialmente desconhecido passou a ter um nome para mim.

— Tudo bem, garoto Pablo. Espero que não esteja tentando me sequestrar, pois seria uma perda de tempo da sua parte. A minha família não possui uma única peça de ouro. Nosso bem mais valioso é uma pequena plantação de milho — brinquei.

— Eu acho que você se meteu em apuros.

— Por quê?

— Eu adoro milho.

Continuamos andando por alguns minutos enquanto conversávamos. No trajeto, percebi algumas coisas interessantes: primeiro, o sotaque de Pablo, que não se enquadrava em nenhum que eu conhecesse. Por vezes parecia falar cantado como as pessoas da Região Norte; por outras, com um jeito seco sulista; e, em alguns momentos, nem parecia ser deste reino, puxando o R como um estrangeiro (talvez fosse: Amberlin é um lugar muito receptivo a pessoas de outros reinos).

A segunda coisa que notei foi sua inteligência. Ele era capaz de conversar sobre qualquer assunto sem diminuir a qualidade da discussão. Mostrava o mínimo de conhecimento sobre qualquer tema, e isso me intrigou. Muita coisa me intrigava.

— Diga-me, Pablo — falei durante o percurso rumo a algum lugar, e eu nem sequer me importava de não saber qual seria. — Nunca tinha visto você no colégio antes. Você é novo por aqui?

— Mais ou menos — respondeu enquanto me guiava pelo desconhecido caminho. — Estou no Reino de Amberlin há pouco tempo, mas esse não é o motivo de você nunca ter me visto. Você nunca me viu porque normalmente não frequento a escola.

— Não?

— Não. Estudo em casa desde criança.

Eram raros os casos de pessoas que conseguiam permissão para estudos particulares, e as que conseguiam costumavam fazer parte da burguesia. Isso explicava as roupas que me chamaram a atenção inicialmente.

— Se você estuda em casa... — continuei com meu interrogatório —, o que estava fazendo na escola hoje?

— É complicado.

— Acho que temos tempo suficiente para você me contar a sua história enquanto me leva até o local do meu cativeiro.

— Não é um cativeiro. — Nós rimos. — E, sério, você vai adorar o que vou mostrar.

— Ainda acho que mereço ouvir sobre a sua aventura no submundo da educação escolar convencional.

— Tudo bem. — Pablo parou à minha frente e estendeu as mãos paralelamente, com uma expressão de quem estava escolhendo as palavras para explicar algo

que nunca precisou ser verbalizado antes. — Eu tenho essa... ideologia.
— Ideologia?
— Não é bem uma ideologia. É mais um estilo de vida. Todos os dias eu tento fazer algo que nunca fiz antes.
— Todos os dias?
— Todos.
— Sem exceção?
— Sem exceção.
— E por quê?
— É uma ótima maneira de enxergar a vida, se você parar e pensar. O nosso cotidiano é repleto de problemas que, por vezes, parecem sem solução. Mas tudo não passa de uma questão de perspectiva. Muitas vezes, é perfeitamente possível solucionar um problema apenas procurando uma maneira diferente de encará-lo, entende? Eu faço uma coisa nova todos os dias para treinar o cérebro a observar o mundo de maneiras novas constantemente. É um modo que encontrei de evitar que o meu cérebro se acomode.
— Há quanto tempo você faz isso?
— Desde os meus oito anos, quando passei o dia inteiro andando de costas pela casa e percebi que estava enxergando o mundo "indo" em vez de "vindo". Notei que a melhor maneira de descobrir novidades era fazendo algo novo a cada dia.

Por incrível que pareça, tudo aquilo me soou uma excelente ideia. Pablo seguiu me contando sobre as coisas incríveis que fez em nome desse estilo de vida, como o dia em que montou em um elefante doméstico de uma tribo de outro reino e o dia em que aprendeu a língua de sinais de quem não pode falar.

Em certo momento, parou diante de uma deslumbrante mansão, como aquelas que pertencem aos barões.

Impossível contar quantas janelas tinha: era tão grande que me peguei pensando na possibilidade de duas pessoas viverem nela sem jamais se verem.

— É isto que você me convidou a fazer? — perguntei. — Invadir a casa de um milionário?

Pablo não ouviu a minha pergunta, pois estava ocupado abrindo os portões de ferro, que se moveram com um alto rangido. Colocou de volta no bolso as chaves que tinha usado e me olhou como quem não entendia por que eu estava parada, boquiaberta.

— Você não vem? — chamou.

Ele me conduziu pelo jardim. Passamos por uma parede onde o número 4 fora rabiscado inúmeras vezes, a carvão, por toda a superfície.

— O que é isto? — perguntei. — Outra coisa que você nunca havia feito antes?

— Exatamente — respondeu Pablo, como se aquilo fosse normal. — Aqui, chegamos.

Paramos em frente ao que parecia uma cesta gigante, do tipo que comportaria facilmente quatro adultos em pé. Cordas a ligavam a uma espécie de tecido colorido. Já tinha visto algo assim antes ao olhar para o céu através das janelas do colégio.

— Um balão! — exclamei.

— Isso mesmo — respondeu aparentando muito orgulho.

Existem druidas incríveis no Reino de Amberlin, mas há algo que nenhuma delas jamais pôde fazer: voar. Quando um homem das ciências descobriu que, pelo simples aquecimento, é possível tornar o ar dentro de um recipiente mais leve do que o ar fora dele, maravilhou a todos. Esse foi o primeiro passo na criação dos balões e dirigíveis, que usam da ciência para se moverem pelos céus. Pela primeira vez, a ciência avançara até um ponto a que a magia nunca havia chegado.

Pablo pulou para dentro do balão e acendeu um maçarico. Pouco a pouco, aquele tecido colorido passou a ser preenchido, levantando-se de forma majestosa. Era lindo. Depois que o balão encontrou sua forma mais cheia, Pablo estendeu a mão para mim.

— Venha! Será divertido! — chamou.

— Desculpe, Pablo, mas eu não vou sair voando a esmo pelo mundo.

Ele riu.

— Nós não sairemos a esmo. Não hoje. Está vendo esta corda? Ela prende o balão a este tronco, que funciona como uma espécie de âncora. Venha! — reiterou.

Gastei um segundo para fixar na memória a imagem daquele garoto com um brilho no olhar e a mão estendida em minha direção.

— Agora eu tenho de tapar os seus olhos — ele disse quando subi.

— O quê?

— Confie em mim. Eu fiz isso na primeira vez em que voei, e foi incrível! Venha cá.

Pablo se posicionou atrás de mim e pousou as mãos sobre os meus olhos. Meu mundo ficou escuro, então pude direcionar a atenção para outras coisas, como o som do vento. Seria este o vento ideal para alçar voo? As mãos de Pablo eram calejadas, e me perguntei que tipo de atividade um homem que não trabalha na lavoura poderia fazer para elas ficarem assim. Tudo era muito silencioso e calmo à nossa volta, provocando uma gostosa sensação de paz.

Leve, natural como a própria natureza, senti que estávamos nos afastando do chão lentamente. O movimento provocou um frio gostoso na minha barriga. Meu corpo todo estava sentindo a decolagem. Era como se alçasse voo pela minha própria vontade. Subindo e subindo, a sensação de se descolar da terra era maravilhosa. Senti tanto a brisa no meu rosto! Nós nos movimentávamos conforme seu sopro. Fazíamos parte do vento.

Eu poderia passar o resto do dia aproveitando aquele frio na barriga.

Pablo afastou as mãos dos meus olhos, e eu pude observar o mundo passando em uma velocidade diferente logo abaixo de nós, com todas aquelas pessoas do tamanho de formigas andando apressadamente de um lado para outro. Nunca imaginei que o reino fosse tão lindo de cima, nem tão grande. Assisti ao mar de telhados se perdendo até onde a minha vista não alcançava mais.

O meu horizonte se expandiu.

— Isto é... Isto é...
— Eu sei — disse Pablo, agora ao meu lado. — É lindo.
— É lindo...

Perdi a noção de quanto tempo passei admirando aquela paisagem. Quando finalmente olhei para o lado, percebi que Pablo trazia uma feição pensativa, um tanto quanto triste.

— O que houve? — perguntei, já imaginando que eu havia feito algo errado.

— Nada — respondeu. — É que... isto é lindo, mas ainda assim é pouco, entende?

— Não.

— O maior problema de todos os reinos em que já estive até hoje é a falta de mobilidade. Mover-se de forma rápida de um lugar para outro pode ser a chave para salvar vidas, melhorar a economia e levar as pessoas a se conhecerem com mais facilidade. A melhor maneira de fazer isso é pelo céu, onde todos os caminhos estão abertos. Pelo céu. Os balões são ótimos, mas não é possível direcioná-los com precisão, e, mesmo criando um dirigível superpreciso, ainda assim não seria rápido o suficiente. Tem de ser de outra maneira. Não podemos depender de coisas mais leves que o ar.

— Mas é impossível, não é? Até a mais poderosa das druidas já declarou ser contra a compreensão humana fazer objetos mais pesados que o ar voarem.

— Bom, eu digo que ela está errada. Como você explica os pássaros?

— Os pássaros fazem parte da natureza, e ela está repleta de magia além da nossa compreensão.

— Sim. Uma magia chamada ciência e física. E acredito que posso dominá-la.

— Pode?

— Absolutamente — afirmou exibindo um sorriso de canto de boca levemente orgulhoso. — Estou trabalhando nisso. Serei o primeiro homem a construir uma máquina voadora.

— E a sua máquina já voou?

— Ainda não, mas voará. Você vai ver.

Eu não faço a mínima ideia do motivo, mas realmente acreditei nele.

Então passamos a conversar sobre nós.

Eu e ele.

Eu contei sobre as minhas irmãs. Tenho sete delas, todas mulheres, transformando a nossa casa no imóvel mais barulhento e feminino do reino. Meu pai tem uma paciência de ouro.

Ele contou que o pai anda de cadeira de rodas desde que sofreu um acidente em outro reino. Por isso a mudança da família para estas terras, que, segundo seus pais, são mais calmas.

Eu contei sobre o meu dom de conjurar flores.

Ele me contou ainda mais sobre a máquina voadora, e percebi que se tratava de uma parte importante da sua vida a julgar pelas horas que passava trabalhando nela e pelo esforço dedicado.

Eu contei qual era a minha cor preferida — violeta.
Ele contou que construiu este balão sozinho.
Eu contei que pretendo me tornar professora.
Ele me contou uma piada.
Eu ri.
Ele falou que gostava dos meus olhos.
Eu agradeci.
Ele falou que estava com vontade de me beijar.
Eu beijei.

Nós não nos importamos com o tempo de duração daquele beijo. Estávamos sobrevoando a cidade, e, lá de cima, o tempo passou à nossa maneira.

DOIS

O Reino de Amberlin é muito pacífico. Geograficamente, estamos longe de todo desastre natural ou de um ataque surpresa de qualquer besta, como dragões ou gigantes. Porém, socialmente, avançamos a passos lentos. É comum eu flagrar olhares cheios de censura de desconhecidos que me encontram na biblioteca, uma jovem que deveria estar trabalhando para tornar o lar mais agradável ou buscando incessantemente um marido em vez de ler por prazer. Meninos não sofrem esse tipo de julgamento.

Fui para casa imaginando o tamanho da bronca que levaria por voltar tarde. A bronca poderia se transformar em castigo severo se descobrissem que o motivo do meu atraso foi beijar jovens voadores.

Ao chegar, encontro um discreto bilhete me esperando na porta:

"Mel,
Papai pensa que você está no seu quarto. Suba pela janela dos fundos.
Anita."

Algumas das vantagens de ter sete irmãs: você pode se tornar invisível dentro da tumultuada rotina da casa, além de sempre contar com a ajuda de uma cúmplice.

Eu já sabia o que fazer — não era a primeira vez que entrava escondida. Contornei a casa até os fundos, onde é possível avistar a janela do meu quarto, subi na árvore e pulei para dentro. Fácil.

No interior, encontrei a irmã que divide quarto comigo, Raquel, tricotando o que provavelmente viria a ser um vestido. Raquel passava muito tempo tricotando e pouco tempo tentando ser atraente. Mesmo assim, era uma péssima tricoteira e a mulher mais atraente que já conheci.

— E aqui está a nossa Mel — falou quando me viu aterrissando graciosamente no cômodo. — Agora você já pode me contar tudo.

— Não tenho nada para contar — menti enquanto tirava a roupa para vestir um pijama. — Isso que você está fazendo é um vestido?

— Sim — respondeu estendendo um emaranhado de lã com certo ar de orgulho. — Está bom?

— Está, sim — menti pela segunda vez desde que entrei no quarto e deitei na cama.

— Calma lá, mocinha. — Senti o colchão afundar com o peso de Raquel sentando ao meu lado e, então, virei-me para ela. — Você tem a obrigação moral de me contar o que aconteceu.

— E como você sabe que aconteceu alguma coisa?

— A Natasha viu você fugindo da escola com um rapaz. — Natasha é outra das irmãs. — Ela não conseguiu ver o rosto do garoto, então não pôde nos dizer se era bonito, mas só de ver você saindo com alguém uma vez na vida já me deu um alívio. Agora, me conta t-u-d-o que aconteceu.

Não restava dúvida para nenhuma de nós de que eu seria a solteira da família, por isso é natural o interesse excessivo das minhas irmãs pela minha vida amorosa.

— Tudo bem... — No fundo, eu estava animada com o que acontecera e feliz por poder dividir isso com alguém. — O nome dele é Pablo. Amanhã virá aqui em casa me buscar para outro passeio.

— Que ótimo! Ele é legal?

— Sim, demais. Um pouco excêntrico. Totalmente obcecado em fazer uma máquina que possa voar, mas é um amor de pessoa.

O sorriso fugiu do rosto de Raquel, dando lugar a uma expressão de quase choque.

— Você saiu com um rapaz chamado Pablo e que está construindo uma máquina voadora?

— Isso.

Raquel se levantou e passou a andar de um lado para outro do quarto como se, de repente, toda a sua energia tivesse sido ligada de uma só vez.

— O que aconteceu? — Não pude entender nada.

— Espere aí — ordenou. — Fique onde está!

E para onde eu iria? Raquel saiu do quarto e, depois de alguns minutos, voltou acompanhada de Anita (que havia deixado o bilhete para mim) e Bianca, outra irmã.

— Repete para elas o que você acabou de me falar —

Raquel ordenou novamente. Aquilo me pareceu um teste, mas não conseguia pensar em motivos para não contar.

— Saí com um garoto hoje... Ele se chama Pablo.

— E o que mais? — continuou Raquel.

— Ele é... bonito? — arrisquei.

— Não. Isso não, a outra coisa.

— Ele está construindo uma espécie de... máquina que, ele acredita, poderá voar um dia.

Os olhos de ambas arregalaram. Bianca abriu um sorriso do tamanho do mundo e começou a se abanar freneticamente como se afastasse um calor interno.

— Não acredito, não acredito... — ela repetia praticamente sem respirar. — Não acredito!

— Alguém pode me explicar o que está acontecendo? — supliquei.

— Como assim, "o que está acontecendo"? — perguntou Anita, uma vez que Bianca se encontrava em um estado de histeria que a impossibilitava de falar.

— Ela não sabe... — recomeçou Raquel. — Ela passa tanto tempo dentro dos livros que se esquece da vida real!

Em minha defesa, ia falar que os livros são muito mais divertidos do que a vida real.

— Já sei! A Natasha tem algo que irá ajudá-la a entender — propôs Anita. — Já volto!

Depois de alguns minutos, Anita voltou com todas as outras irmãs, que pareciam tão ou mais animadas do que Bianca. Nunca antes o meu quarto estivera tão lotado em um dia que não fosse o meu aniversário.

— Olhe isto! — Anita lançou um jornal na minha direção. — Este é o seu Pablo?

Era o *Diário de Amberlin*, o jornal oficial do reino. Uma foto de Pablo estampava a primeira página com a chamada:

"PABLO EAX MUDA-SE PARA AMBERLIN"

— O que isto significa? — perguntei.
— O seu Pablo é famoso — explicou Raquel, com o consenso das outras seis irmãs. — Ele vem de uma família supertradicional. É conhecido como um garoto genial ou algo assim.
— E é lindo! — disse a histérica Bianca. — Lindo, lindo, lindo...
— Não é só isso — continuou Raquel. — Ele é como um conselheiro do rei, uma das pessoas mais influentes da burguesia. Superinteligente!

Tudo que se dizia era acompanhado pelas outras irmãs, que balançavam a cabeça em sinal de convergência.

Li um trecho do jornal:

"O Reino de Amberlin festeja hoje a chegada da influente e tradicional família Eax, conhecida por ser proprietária do maior império do mundo de plantação de erva vatisa — comumente empregada para fazer o popular chá de Lesde.

Pablo Eax, membro mais famoso da família, também fixará moradia aqui. Distinto membro do aeroclube do Reino de Sirap, ele é um dos principais responsáveis pelas ações filantrópicas promovidas na entidade.

No campo pessoal, Pablo é um cobiçado solteiro. É extremamente raro encontrá-lo acompanhado de alguém que possa ser considerada uma namorada. Quando questionado sobre o assunto, o jovem exibe um sorriso tímido. 'Estou trabalhando demais para ter tempo de pensar nisso', responde.

Leve o tempo que precisar, Pablo. As damas não se incomodam em esperar..."

O meu minuto de silêncio poderia muito bem ter sido dedicado ao luto pelo jornalismo de qualidade no nosso reino, pois esse texto, digno das colunas de fofoca, encontrava-se na primeira página da publicação mais respeitada em que era possível colocar as mãos. Mas não. O meu minuto de silêncio foi puramente para colocar os pensamentos em ordem.

Então ele não estava brincando quando pareceu surpreso por eu não reconhecê-lo. Pablo era, de fato, famoso.

A situação me pôs em xeque. Sempre nutri certo asco pela alta burguesia, especialmente por aqueles que navegam pela vida pública exibindo suas riquezas enquanto muitos de nós mal têm o que comer. Por outro lado, destratar um garoto perfeitamente simpático, com o qual eu já havia me entendido bem anteriormente, só porque ele fazia parte desse mundo me pareceu uma espécie de preconceito. É claro que nenhum desses dilemas morais estava passando pelas cabeças das minhas irmãs, que pareciam excitadas demais para pensar em qualquer coisa.

Olhei para a foto de Pablo, que me encarou de volta. Era como se visse um misto do garoto que conheci com outra pessoa. Ele ainda tinha os olhos sonhadores, mas parecia muito mais confiante do que se mostrara dentro daquele balão. Seu sorriso de canto de boca era o mesmo, porém mais certeiro, menos de- sajeitado. Perguntei-me se era a câmera que imprimia essa expressão de poder ou se era eu que provocava a vulnerabilidade nele. — Você o ama? — perguntou a demasiadamente animada Anita, como porta-voz do grupo. — Vocês vão se casar? Eu posso ser a madrinha?

— Não! — respondi prontamente, em volume um pouco mais elevado do que pretendia. — Ele é só um garoto que conheci hoje.

— Bom, se quiser conhecer melhor o Pablo, é só perguntar para a Bianca — Anita respondeu apontando para a irmã. — Ela sabe tudo que é possível saber sobre o seu namorado.

Amberlin não possui as melhores curandeiras do mundo, mas é possível notar o esforço delas para continuarem se aperfeiçoando. Quando as druidas profissionais em cura decidem que não há mais nada a fazer para salvar uma vida, elas a deixam repousar no lugar mais confortável que possam propiciar. Normalmente, não passa de um cômodo, porém a cama é sempre macia, as cobertas aquecem bem o corpo, e as comidas e os livros favoritos da pessoa em questão são postos à sua disposição.

A mensagem por trás de tudo isso é bem clara: nós devemos receber a morte como uma amiga, e não o contrário. Devemos aceitar a nossa hora de partir como uma vontade da natureza, que nós sabemos ser a fonte inesgotável de magia.

Minha avó Marga se encontrava em um desses lugares, não muito longe de casa. Eu a visitava todos os dias, muito para preparar a refeição e trocar o balde de urina, mas também para conversar e arriscar pedir alguns conselhos. Marga é tão idosa que não sabe quantos anos soma, bem como não lembra quando parou de contar. Por outro lado, é a pessoa mais atenciosa e sábia que já conheci.

As visitas também tinham outra vantagem. Quando se tem sete irmãs, o barulho e agitação se tornam parte irritante da dinâmica da moradia. Já com a avó Marga posso desfrutar de momentos de silêncio reconfortantes, além de, claro, uma conversa organizada e tranquila — uma pessoa espera a outra terminar de falar, elabora um raciocínio lógico e responde da maneira mais equilibrada possível —, ao contrário do que normalmente acontece em casa: várias mulheres falam uma em cima da outra, tentando fazer a própria voz prevalecer em um diálogo sem pé nem cabeça.

Esse mesmo grupo de mulheres custou a dormir na última noite, vítimas da exacerbada agitação que minha rápida aventura romântica causou. Passaram horas fabulando sobre a personalidade de Pablo, que elas pareciam conhecer melhor do que eu, embora eu tenha notado algumas ilusões na fala apaixonada delas. Por mais corajoso que ele pudesse ser, não imagino que ele teria voado em um dragão, como Anita fantasiou.

Ainda com elas no quarto fazendo seus animados comentários, virei-me para dormir e puxei o cobertor por cima da minha cabeça. Fingi que tinha caído no sono, mas não pude evitar ouvir tudo que elas diziam. Eu, que sempre fui invisível no meio de tantas personalidades diferentes, acabei me tornando o centro das atenções por mais tempo que o desejado.

No dia seguinte, acordei antes de todos e fui até o repouso da avó Marga. Ela acorda cedo por reflexo: passou tantos anos obrigada a madrugar para trabalhar na lavoura que agora o corpo não consegue descansar, mesmo quando tem um dia inteiro para não fazer nada.

Entrei com a minha cópia da chave e a encontrei concentrando todas as suas energias em forçar a vista o suficiente para ler as palavras do livro de poesia que estava em suas mãos.

— Oi, amor! — exclamou com a sua voz fraca e vacilante quando me avistou. — Como você está?

— Eu estou bem, vó — respondi me aproximando para dar um beijo em sua testa. — E como andam as coisas por aqui? — perguntei enquanto começava a fazer a checagem habitual das condições de moradia (se a comida estava fresca, se os móveis estavam limpos, se nada estava alto demais de forma que ela não pudesse alcançar...).

— Está tudo bem, meu amor — disse calmamente ao me observar caminhando de um lado para outro, verificando toda a minha lista mental. Ela mirava a minha movimentação quase como se achasse graça. — Não há muito o que administrar quando a única coisa no ambiente que se move está esperando a morte chegar.

— Isso não é verdade — respondi prontamente. Conjuradas dias atrás, as flores dentro de um vaso com terra se encontravam em perfeito estado, um claro sinal de que Marga realizara o trajeto de encher um copo de água e caminhar até o vaso para regar seu conteúdo todos os dias, ato penoso demais para a sua condição.

— Vó, eu já disse! — exclamei. — Você não precisa se preocupar em cuidar das flores. Eu posso conjurar outras sempre que vier visitá-la.

— Você pode criar outras, mas não pode substituir as que já morreram. Nada é infinito.

Olhei para trás e encarei aquela senhora sentada confortavelmente em sua cama. Nós não podemos substituir o que já morreu. Nunca havia realmente parado para pensar nisto: em como ela mesma jamais será substituída para mim.

Caminhei para mais perto dela e me sentei em uma cadeira à sua frente. A nossa franqueza nos permitia engrenar qualquer tipo de conversa.

— E como é? — perguntei.

— Como é esperar a morte?

Assenti.

— É um tanto curioso — ela respondeu tranquilamente. — Não saber o que há no outro lado é quase excitante.

— Você tem medo?

— Não.

— Não?

— Não. Medo, frustração, pânico... São reações naturais do nosso corpo, como um sistema de defesa. Quando não há nada que se possa fazer para mudar uma situação, o único caminho é aceitar. E assim tudo se torna mais leve. Nada é mais libertador do que a impotência.

— Algumas druidas conseguem enganar a morte...

— Tornando-se fantasmas. Vagam sem rumo pelas florestas. Nunca vale a pena. Depois que uma vida se torna eterna, passa a não ter mais valor, assim como você faz com as flores. — Senti-me ofendida.

— Eu dou valor às minhas flores!

— Então prove para mim. Pegue um copo de água e, por gentileza, regue as que estão no vaso porque eu ainda não fiz isso hoje.

Eu lhe obedeci. Enchi o copo com água, fui até o vaso das flores conjuradas e, sob o olhar de Marga, molhei a terra, que ficou mais escura ao absorver o líquido.

— E mais alguma coisa aborrece você hoje? — perguntou minha avó quando me sentei novamente à sua frente.

— Não — respondi. — Quer dizer... Minhas irmãs estão bem chatas ultimamente por causa de um menino que beijei ontem.

— Você anda beijando rapazes? Isso, sim, é uma grande novidade!

Até minha avó...

— Sim. — Eu ri. — Elas têm dado especial atenção a esse rapaz, aparentemente porque ele é famoso. Ele se chama Pablo.

— Ah sim, conheço Pablo — Marga me interrompeu. — O garoto que prometeu criar uma máquina voadora. Menino famoso...

Apesar de também conhecê-lo, Marga não expressou nenhuma reação de ânimo, excitação ou admiração. Era apenas mais um ser humano como os outros bilhões espalhados pelo mundo.

— Ele é... estranho... mas, ainda assim, legal. Marga riu.
— O que foi? — perguntei.
— Já vi pessoas descreverem você com essas mesmas palavras. Mais de uma vez.

TRÊS

Treino minha magia em um local específico, onde recebo aulas regulares. Uma vez mulher, você pode escolher tornar-se uma druida estudando essa antiga arte em mosteiros onde não é ilegal usar magia. Uma forma pejorativa de chamar quem manipula a magia da natureza é "bruxa", mas eu nem me importo mais. Depois que os ensinamentos terminam, você pode optar por ajudar na manutenção do local de estudos, para que outras meninas também possam encontrar a magia dentro de si, ou tornar-se uma Completa.

As Completas se dedicam inteiramente à magia e a manter acesa a chama da cultura e dos ensinamentos das druidas. Vivem em mosteiros e abdicam do casamento e de qualquer contato físico com homens. Parece ser uma vida rígida e restrita, porém as que decidem viver assim parecem satisfeitas. Claramente é uma questão de vocação. Vocação esta que eu não tenho, aliás.

Por fora, o mosteiro consegue ser imponente sem ser ostensivo — há algumas esculturas de animais que têm o olhar perdido no horizonte. Por dentro, mantém a austeridade, ao menos no salão principal, o único cômodo em que as Não Completas podem entrar. Bem ao centro do salão se estende um grande tapete circular. Em volta dele, inúmeros vasos com flores e mudas (muitas orgulhosamente conjuradas por mim) enfeitam o ambiente. É um alívio ter um lugar onde é possível fazer os gestos mágicos sem correr o risco de ser presa ou malvista.

O que mais surpreende no local é ele estar constantemente banhado no máximo possível de luz solar que um ambiente fechado pode ter. Não existem lâmpadas ali, apenas a luz natural, que nunca falta, mesmo nos dias nublados.

Os treinos acontecem no período da tarde e não duram muito mais do que uma hora. Quando cheguei ao local, percebi que as outras alunas já estavam em seus postos. Eram meninas com idade perto da minha (o corpo feminino consegue canalizar magia após a primeira menstruação) e tão entusiasmadas quanto eu.

As mais próximas de mim eram Sabrina e Camila. Sabrina tem o dom de fazer sons da floresta soarem de qualquer lugar, do rugido de um leão à melodia de um sabiá-pardo. Já Camila se especializou em um conjunto de magia que tem a ver com caça: rastreamento, comunicação com animais, detecção de cheiros e sobrevivência. O que mais incomodava era sua capacidade de "ler" as pessoas. Pela marca de terra nas botas de um homem, ela era capaz de dizer por onde ele havia passado. Ela canalizava sua magia de um jeito complexo e, de vez em quando, irritante.

— Olá, meninas! — cumprimentei ao me aproximar.
— Quem é ele? O menino com quem você está saindo? — Camila perguntou com um sorriso animado.

Dons muito inconvenientes, diga-se de passagem.

— Não sei do que você está falando — menti.
— Então você falta ontem, aí hoje aparece bem diferente, com a boca mais inchada que o normal e cheirando

a menino, e não quer que eu pergunte nada? — Camila estava muito animada e olhava para mim tentando obviamente descobrir algo mais usando magia.

— Isso que você está fazendo é errado! — eu a repreendi e recuei um passo, como se a distância pudesse atrapalhá-la de alguma forma. — Está usando a magia para invadir a minha privacidade!

— Sim, estou. Mas você me envia sinais confusos. É um homem alto? Como ele conseguiu beijá-la, Melissa?

Não precisei inventar uma resposta convincente pois três Completas entraram na sala, indicando que o treinamento estava prestes a começar.

Ninguém sabe o nome real das Completas, já que elas abdicam dele no exato momento em que decidem seguir essa vida. A Mestra veio acompanhada por outras duas, logo atrás. As três usavam longas túnicas que se arrastavam pelo chão. A cor de cada túnica representa a especialidade mágica de cada uma.

A Completa Irish (uma mulher ruiva, com sardas) vestia a cor azul, que simboliza os dons relacionados ao ar. Foi a responsável por ensinar Sabrina a manipular a energia mágica para criar música. Dizem que, com a potência do vento que é capaz de conjurar, Irish consegue cortar pedras com força e precisão.

A cor verde usada pela Completa Isis (alta, negra e magra) simboliza as suas habilidades vinculadas à floresta. Camila era claramente sua aluna favorita.

A Mestra era chamada apenas dessa forma. Entre inúmeras outras habilidades, ela desenvolveu o dom de nunca envelhecer: aparentava em torno dos 28 anos, contudo não sabemos a sua idade verdadeira. Seus olhos eram tão verdes quanto possível, e seus cabelos eram de um loiro tão claro que poderiam se confundir com o branco da túnica que trajava, simbolizando a sua completa ligação com a natureza e toda a magia que ela fornece.

Sempre me perguntei como uma mulher tão poderosa e inteligente não fazia parte do corpo de conselheiros do rei. Isso me intrigava tanto quanto saber o porquê de nunca ter havido uma mulher entre eles.

— Boa tarde — saudou a Mestra, passando os olhos pela sala para encarar cada uma de nós. — Como mencionado na aula passada, hoje vamos aprender um pouco mais sobre a nossa galáxia. Sentem-se.

Todas as aulas mantinham uma rotina. Nos primeiros minutos, a Mestra contava um pouco sobre os elementos da natureza e como eles funcionam. Para uma bruxa, é estritamente importante estar conectada à natureza e a tudo que ela representa, pois é dela que emana toda a magia de que precisamos. Nós apenas manipulamos aquilo que já existe à nossa volta.

— Sabemos que o nosso universo é enorme — a Mestra falou no discurso daquele dia. — Os nossos estudiosos ainda não chegaram a encontrar o seu limite... Talvez seja infinito. Amberlin não é apenas um entre dezenas de reinos como também faz parte de um mundo de proporções inimagináveis. — Eu sempre senti que a Mestra discursava olhando para mim. — Agora, imaginem: se a natureza é infinita, logo a magia também é. Imaginem todas as possibilidades com que estamos lidando.

Na sequência, meditamos durante algum tempo. Isso também faz parte do processo de ligação com a natureza, e é de longe o exercício mais difícil. Permanecer sem pensar em nada é desafiador para mim. Sinto inveja das bruxas com dons de ar, pois elas são designadas a produzir canções que nos ajudam na concentração, o que deve ser muito menos tedioso.

Por fim, praticamos a nossa magia livremente pelo salão, com as Completas circulando entre nós e nos orientando sempre que possível. O meu desafio pessoal, neste momento, é conseguir conjurar flores mais complexas ou maiores. Quanto maior as faço, mais fracas e quebradiças são, sempre desabando com o próprio peso.

— Muito bom! — Irish exclamou quando me viu quase obtendo sucesso em uma das minhas tentativas. — Tudo que lhe falta é manter o foco durante mais tempo.

— Sim — respondi levemente frustrada. — Essa é a parte mais difícil!

— Tenho certeza de que irá conseguir — ela afirmou. — Você tem um talento natural.

Esses elogios aparentemente descompromissados têm se tornado cada vez mais frequentes nos últimos dias. Apenas torci para que não fosse uma pista de que em breve me convidariam a tornar-me uma Completa. Odiaria desapontá-las.

Chegar em casa sempre pode guardar uma surpresa. Como quando encontrei Nathália (outra das irmãs) sorridente com uma tesoura na mão, feliz por ter finalmente ingressado na carreira de cabeleireira. Atrás dela, era possível observar a triste expressão de três das minhas irmãs e da nossa mãe, todas exibindo tortos e trágicos novos cortes de cabelo. Nunca dava para imaginar o que estava por vir.

Assim que voltei da casa de repouso de Marga, deparei com minhas irmãs usando seus melhores vestidos, com penteados irretocáveis e maquiagens trabalhadas. Estavam sentadas lado a lado, com postura digna de princesa, no sofá da sala de estar.

— Uma de cada vez, por favor, pode me explicar que maluquice é esta? — perguntei no exato momento em que botei os pés dentro de casa.

— É hoje, não é? — Raquel se prontificou a representar este que parecia ser um grupo de um concurso de beleza. — É hoje que Pablo vem buscá-la para sair?

— Sim, mas... ele não vai ficar. — Passei os dedos pelos cabelos, inconformada com a situação. — Eu que vou sair!

— Não importa. Pablo é da alta burguesia de Amberlin, costuma conviver com a realeza e a elite. Dessa forma, não pode nos ver de qualquer jeito, nem que seja por apenas um segundo.

Olhei novamente para aquele grupo de garotas. Pareciam prontas para uma festa, não só pelas roupas mas também pela animação que apresentavam, como se a visita de Pablo fosse um evento.

— Agora vá se arrumar. Ele pode chegar a qualquer momento! — Raquel exclamou.

— Eu... já estou arrumada. — Impossível soltar essa frase sem sentir uma pontada de vergonha. Eu realmente já estava pronta: o meu vestidinho de verão não tinha nenhuma parte remendada e era ideal para o calor da estação.

— Você sairá com ele *deste jeito*? — Raquel perguntou com uma expressão estranha no rosto.

Não tive tempo para me sentir ofendida porque deparei com uma das cenas mais engraçadas das últimas eras. Meu pai entrou pela porta da sala vestindo uma espécie de terno, amassado e pequeno demais para ele. O contraste em ver o meu pai, trabalhador braçal, usando uma peça de roupa social da forma mais errada possível me fez gargalhar e (por algum motivo muito estranho) amá-lo um pouco mais.

— Pai, o que você está fazendo?

— Eu também não entendi o que está acontecendo — respondeu por trás do bigode volumoso. — Só sei que havia sete mulheres falando ao mesmo tempo, e todas calaram a boca quando vesti este terno. Irei para a cama com ele hoje se for preciso. — E jogou-se na sua poltrona com uma caneca de hidromel na mão.

Minha mãe foi outra surpresa: uma mulher baixinha e gordinha de meia-idade tão histérica quanto uma adolescente em sua festa de quinze anos.

— Mel? Oh, minha Mel! — Ela se aproximou sorridente e segurou meu rosto, apertando as minhas bochechas firme e carinhosamente. — Eu sabia que um rostinho destes não poderia fisgar nada pior do que o melhor partido. Você o viu no jornal? Ele ajuda as crianças carentes! Ele é um estudioso! Não é como os outros burgueses que só pensam neles mesmos. Esse garoto tem um caráter de ouro! — Como explicar para a minha mãe que ela não conhece Pablo e está fazendo uma pintura da sua personalidade por meio de relatos jornalísticos?

— Agora vá se arrumar, dona Mel! Ele pode chegar a qualquer momento!

— Mãe, eu já estou pron...

Alguém bateu à porta.

Silêncio entre todos os presentes na casa, incluindo o meu pai, o único a não se importar com o acontecimento. Só tive tempo de pensar em uma coisa antes de abrir a porta...

— Todas vocês, comportem-se! — falei com a maior autoridade que pude juntar.

Era muito difícil tentar convencer a minha família de que Pablo era um homem comum, e não um príncipe do cavalo branco, quando ele de fato apareceu montado em um cavalo branco. As roupas, para o meu alívio, eram bem discretas e menos pomposas do que as da minha própria família.

Ele sorriu com o canto da boca ao me ver.

— Olá, Melissa.

— Olá! — Não pude deixar de sorrir de volta enquanto

me perguntava mentalmente se parecia muito nervosa por estar preocupada com a trupe de loucos atrás de mim.
— Só um minuto e já partimos, tudo bem?
— Sim, claro. — ele respondeu.
Virei-me para as nove pessoas que me observavam a fim de me despedir, mas tudo que consegui dizer foi:
— É isso. Tchau!
Quando me voltei para a porta, levei um susto: Pablo tinha descido do cavalo e estava entrando em casa, sorridente e com a mão estendida em direção ao meu pai.
— É um prazer conhecer o senhor — disse.
Pela expressão do meu pai, ele também sabia quem era o rapaz e não entendia muito bem o que estava acontecendo, retribuindo o aperto de mão meio atônito.
Pablo foi um perfeito cavalheiro com toda a família, dando a devida atenção a cada membro separadamente, como se não enxergasse nada de estranho em toda aquela movimentação. Ouviu prontamente todas as instruções da minha mãe, incluindo o horário que deveria me trazer de volta.
E partimos sem maiores complicações. No exato instante em que fechei a porta, foi possível ouvir todas as minhas irmãs falando ao mesmo tempo, excitadas com o que acabaram de ver e mandando a classe e a pompa para bem longe.
— Desculpe pela minha família — eu disse, montada no cavalo branco que nos transportava pela cidade.
— Desculpas pelo quê? São adoráveis! — ele respondeu.
— E para onde vamos hoje? — perguntei enquanto não podia deixar de reparar em seu corpo que eu abraçava com firmeza para não cair.
— Você verá!
— Vai ser sempre assim? Você continuará me sequestrando para me levar a lugares secretos todas as vezes? — brinquei.
— Exato — respondeu prontamente.

O cavalo de Pablo era diferente de todos que já tinha montado. Era mais firme, balançava menos. O animal tinha uma compostura própria. Perguntei-me que tipo de treinamento era realizado para alcançar aquele resultado.

Logo estávamos diante da mansão de Pablo, que desceu para abrir os mesmos portões gigantes.

— Você me trouxe para a sua casa novamente? — perguntei. — Existe outra coisa incrível para se ver nela? Um submarino, talvez?

— Você não faz ideia. — Algo no sorriso dele me despertou a curiosidade.

O tal cavalo branco tinha um estábulo só dele, separado dos demais. Depois de acomodá-lo, Pablo me guiou pelo jardim, desta vez em meio a um caminho mais escondido.

— Você terá de guardar segredo sobre o que vou mostrar a você agora — ele disse. — Os criados são proibidos de andar por este lado da mansão, de forma que eles nunca descobrirão. De todo o Reino de Amberlin, as únicas pessoas que sabem sobre isto somos eu e o meu pai. Nem mesmo minha mãe sabe... E agora, você saberá, é claro.

O que ele iria me mostrar de tão secreto?

As trepadeiras subiam pelos muros, e o que era para ser um jardim parecia mais um labirinto ou uma mata. Logo, as folhas e árvores daquele imenso jardim-labirinto passaram a tapar parte do sol, que entrava apenas por algumas frestas de luz. O que quer que fosse estava muito bem escondido.

Pablo parou de andar e olhou para mim, sorrindo.

— Precisamos entrar devagar para não assustá-lo.

Pegou-me pelas mãos, e juntos caminhamos lentamente. Ao virar à esquerda de uma imensa árvore, pude ver o tal segredo.

Respirando devagar, com as suas escamas em vários tons de vinho subindo e descendo vagarosamente, ele dormia.

Suas asas estavam recolhidas, e sua cauda formava um círculo na grama. Já tinha visto em livros, mas nunca a poucos metros e nunca tão pequeno — ele não era muito maior do que um cavalo. De qualquer forma, era surpreendente: havia um dragão dormindo no quintal de Pablo.

O dragão abriu os olhos e nos avistou. Meu estômago gelou quando ele se levantou e caminhou, pesado, em nossa direção. O dragão chegou perto o suficiente para nos atacar, mas apenas parou. Pablo acariciou-lhe a cabeça como se lidasse com um cachorro. Sempre ouvi sobre a lendária periculosidade dos dragões, mas aquele não parecia mais assustador do que qualquer outro animal doméstico.

— Uau! — exclamei.

— Sim. — Pablo riu.

— É um filhote?

— Não exatamente, é um dragão-anão. Um amigo explorador e estudioso dos hábitos dos animais o encontrou ainda novo em uma colônia no meio da selva. Ele estava muito ferido, pois tinha sido rejeitado pelo bando por causa da sua deficiência física. Iria sangrar até morrer se esse meu amigo não tivesse sofrido um surto de compaixão. Assim o socorreu e levou para o reino onde eu morava na época. Era tão pequeno que coube em uma mala de viagem — enquanto falava, acariciava o bicho, que parecia sorrir. — Para trazê-lo a Amberlin, já foram necessárias uma caixa bem maior e horas de adestramento para ele não causar nenhum incidente na viagem. Cuidar de um animal como este demanda muito tempo e espaço. O pesquisador não dispunha disso, então me concedeu a honra. Eu o batizei de Magrelo. — A referência ao nome era clara: o dragão era realmente magrelo e meio desajeitado, porém saudável, dando sinais de que fora muito bem tratado. — Venha, pode se aproximar.

Eu não havia notado que, pouco a pouco, tinha me afastado de Magrelo, como um reflexo de medo. Cheguei mais perto lentamente, estendi minha mão e o acariciei. Suas escamas eram tão rígidas que pareciam madeira. Magrelo fez menção de pular em cima de mim, o que me fez soltar um grito de susto.

— Não, Magrelo! — Pablo exclamou. — Nela, não!

Magrelo entendeu a mensagem: deixou-me em paz e pulou em Pablo, que caiu no chão. Logo os dois estavam rolando e brincando como dois irmãos — não pude deixar de pensar nisso. Eu tenho sete irmãs, mas Pablo é filho único. Aquele dragão-anão deve ter sido boa companhia em momentos de solidão.

— Magrelo, recomponha-se. Temos uma dama aqui. — disse Pablo em meio aos risos, enquanto se levantava e limpava a grama da roupa.

— Ele voa? — perguntei.

— Sim — respondeu com certo orgulho. — Mas não aguenta levar nenhuma pessoa. Eu o faço voar de noite às vezes. Gosto de observar a aerodinâmica das suas asas, a forma como se equilibra com a cauda. Sei que tudo isso me ajudará com a máquina.

— Você acha que ele voa utilizando a ciência, então?

— Não tenha dúvida disso, mocinha.

Quando Magrelo ergueu a cabeça e abriu a boca, Pablo me puxou imediatamente para longe do animal.

— Cuidado!

O dragão continuou a realizar aquele movimento, que parecia muito com uma ação típica humana: a vontade de espirrar.

— Magrelo está resfriado? — perguntei.

— Não. Ele tem essa espécie de alergia desde sempre... Não consigo encontrar nada que resolva isso, o que é preocupante.

— O que uma alergia tem de preocupante?

Magrelo espirrou deixando escapar uma chuva de faíscas, que queimaram a grama à sua frente. Pequenas chamas tremularam durante um tempo até apagarem espontaneamente.

— Este é o problema. — Pablo apontou. — Fogo.

Então o dragão passou a se distrair com as borboletas que sobrevoavam o jardim e foi brincar um pouco mais afastado de nós, que nos deitamos no gramado. Enquanto conversávamos, Pablo me puxou para mais perto dele e repousou a minha cabeça em seu peito. Começou a acariciar as minhas costas em movimentos repetitivos — sua mão subia até a minha nuca e descia até o meio das costas. Cada vez que os dedos repetiam o trajeto, desciam um pouco mais do que antes.

— Você é boa com enigmas? — ele perguntou.

— O quê?

— Enigmas. Você é boa em resolver questões?

— Não sei, acredito que sim.

— Tudo bem. Então me ajude nisto — Pablo disse. — Eis a questão: qual é o ponto de ficarmos felizes agora se iremos nos entristecer depois?

— Como?

— Sim. Eu estou aqui com você e me sinto tão bem agora, mas, dentro de algumas horas, terei uma reunião com representantes do Reino de Fairon: eles querem os meus recursos para provocar guerra, como se achassem que eu fosse compactuar com uma matança. Tudo neste exato segundo me faz feliz, desde a paisagem até o cheiro do seu cabelo. Mas qual é o ponto de me sentir bem agora sabendo que vai passar?

— Mas é exatamente essa a resposta: devemos ficar felizes agora justamente porque isso vai passar.

Ele se posicionou de forma que pudesse me olhar diretamente nos olhos.

— Você é mesmo inteligente!

Pablo me beijou. Não como havia beijado antes, mas de uma maneira muito mais intensa. E a ameaça que sua mão fazia se cumpriu, descendo até o fim. Ele puxou meu corpo para mais perto do dele, e eu me deixei levar, me permiti sentir. Sua boca voou no meu pescoço, e senti o seu tato explorando cada centímetro da minha pele. Logo boa parte do meu corpo fora tomada pelo toque firme da mão de Pablo. Era uma sensação nova para mim. Boa, porém, parecia errada, então o afastei. Todo o meu sistema nervoso se irritou com a minha atitude, como se o meu próprio corpo me desse uma bronca, o que não mudou a minha decisão.

— Desculpe. — Ele pareceu assustado por um segundo e, depois, envergonhado. — Desculpe mesmo! Eu não queria ofendê-la.

— Tudo bem — respondi ainda um pouco confusa, tentando acalmá-lo. — Só não quero ir rápido demais.

— Você está certa, é claro que está certa. Vamos só nos abraçar, tudo bem?

— Sim. — E voltei aos seus braços. Aquele abraço se tornou muito difícil agora que já havia experimentado um pouco mais. O meu corpo clamava pela volta daquelas sensações, mas outra parte de mim sentia um pouco de medo do desconhecido.

Quantas garotas ele haveria beijado assim no segundo encontro?

O barulho do portão e dos cavalos invadiu o ambiente.

— São eles. — Pablo ergueu-se para ouvir melhor. — Os representantes do outro reino chegaram mais cedo.

— Devo ir embora? — perguntei.

— Não. Não quero que você volte sozinha, eu prometi

isso à sua mãe. Apenas venha comigo. Acredito que não vá demorar. Afinal, eu tenho apenas uma resposta para qualquer pergunta que eles possam fazer...

Eu tentava deixar o vestido o menos amassado possível enquanto Pablo me guiava pelo caminho de volta até a porta de entrada da mansão. Tentei ajeitar também o cabelo, sem grande sucesso.

Passando pelo portão estavam algumas grandes diligências, guiadas por robustos cavalos. Logo atrás delas, era possível observar um tipo estranho de veículo. Uma máquina barulhenta, semelhante a uma aranha de ferro, que andava movendo as suas seis patas metálicas, soltando fumaça e deixando marcas pelo chão. Não era muito maior do que uma carroça comum, e o seu centro tinha espaço para comportar duas pessoas medianas.

— O que é aquilo? — perguntei baixinho, bem atrás de Pablo.

— Não faço a mínima ideia — respondeu.

Um senhor baixo, gordo e careca saiu de dentro da máquina. Ele usava uma cartola e um monóculo. Ajeitou as suas vestes formais, olhou de volta para nós e sorriu.

— Senhor Eax! — exclamou caminhando com a mão estendida para Pablo.

— Senhor Dimir! — Pablo o cumprimentou de volta.

— É um prazer conversar com o senhor novamente.

— O prazer é todo meu.

— O senhor viu esta coisa linda? — Apontou orgulhosamente para a aranha de metal. — Meus mecânicos que construíram. O meu filho é um deles, aliás. Modelo único, não existe nada parecido neste reino.

— Parece mais devagar do que uma carroça — Pablo respondeu enquanto analisava a máquina mais de perto.

— É mais devagar, de fato. Mas impõe muito mais respeito! Além de ser mais seguro! Javier, mostre ao senhor Eax o que acontece com quem fizer alguma graça com a nossa máquina.

Javier, um serviçal magro que ocupava a diligência da frente, acatou a ordem: subiu na máquina e rodou um tipo de manivela de dentro dela. Duas lâminas enormes e de corte duplo brotaram da frente da engenhoca, como presas.

— Bonito, não é mesmo? — orgulhou-se Dimir. — Basta guiar estas lâminas contra os inimigos. Simples e fatal.

— Impressionante como vocês estão sempre encontrando novas maneiras de matar pessoas. Enfim... vamos continuar a reunião no meu escritório, senhores?

Todos tratavam Pablo como adulto. Iria negociar por conta própria sobre os recursos da família? Por que isso não ficaria a cargo de seu pai?

Nenhum daqueles homens me cumprimentou diretamente. Apenas encararam significantemente a garota de cabelos bagunçados e vestido amassado, que saiu do meio do jardim acompanhada de um jovem solteiro.

QUATRO

Pablo disse que eu ficaria do lado de fora da sala, mas segurou minha mão e me guiou para dentro dela. Sentei em uma confortável poltrona. Quanto aos demais visitantes, me trataram como se eu não fosse mais do que um abajur.

Durante dez minutos, presenciei a conversa mais sem sentido da minha vida, como se fizesse parte do cronograma da burguesia ter um diálogo descontraído sobre o tempo e a comida de outros reinos antes de entrar no verdadeiro tópico da visita. Pablo os odiava. São eles os motivadores da pergunta "por que ficar feliz" do jardim. Mesmo assim, sorria educadamente e entrava em qualquer brincadeira sem sentido que surgia.

O clima foi mudando aos poucos até começarem a falar realmente sobre negócios. Aparentemente existe um reino ao norte, chamado Arab, que possui abundantes fontes de betume, líquido negro usado para pavimentação e iluminação, mas que recentes descobertas apontam como um componente de novas invenções. Apesar de ser um recurso natural da propriedade do reino, outros líderes políticos acreditam que o betume devesse ser partilhado. Como houve resistência, querem tomá-lo à força.

— Betume é o futuro! — disse o representante de Fairon. — A minha máquina precisa dele para se locomover, os trens em breve também precisarão. Todos os cientistas concordam que é possível fazer essencialmente qualquer coisa com essa substância. Até gerar energia elétrica!

— Então comprem honestamente os recursos de Arab — Pablo respondeu.

— Um absurdo! — Dimir contestou. — Querem nos cobrar uma fortuna pelo balde!

— Naturalmente. Estão vendendo o futuro!

Eu ri, mas ninguém ouviu.

— Ainda não encontraram o recurso em seus reinos? Ou em Amberlin? — Pablo perguntou parecendo sinceramente interessado.

— Não! Uma lástima! Temos perfurado tanto as nossas terras que parecemos minhocas... Nem ao menos uma gota! Parece até que a natureza está fazendo uma piada cósmica conosco!

— Não se frustre, Dimir — Pablo respondeu. — Isso faz parte do jogo.

— Você há de entender, Pablo — Dimir continuou. — Não podemos deixar tudo na mão de poucos.

— Eu entendo que, enquanto o nosso ouro e os nossos grãos eram o que existia de mais importante, nós podíamos vender a preços abusivos para qualquer mercado — respondeu Pablo. — E, agora que eles possuem algo de valor, querem obrigá-los a dividir de bom grado. — Pablo os acusava de injustiça, ainda assim falando com serenidade, como em uma conversa casual.

— Você está enxergando a situação sob a ótica errada. Ninguém está falando em guerra. Se os seus recursos tecnológicos se juntarem aos nossos, seria uma invasão tão rápida quanto assoprar velas. Pouquíssimo sangue derramado — Dimir se inclinou para mais perto de Pablo. — Você sabe que o rei de Amberlin deseja o apoio da sua família, não é?

— Sim, mas isso não muda a minha decisão. Permaneço firme. Cumpram a lei da oferta e da procura e negociem com Arab. Duvido que serão tão gananciosos quanto nós. Talvez isso seja até bom... Quem sabe Arab poderá resolver os problemas da miséria com que sofre há anos?

A tensão era crescente, e eu continuava não sendo mais do que um objeto em uma sala onde se discutiam os mais importantes assuntos políticos do mundo. Nenhum dos outros homens opinava, apenas Pablo e aquele representante.

— Sempre achei a sua visão de mundo muito bonita, Pablo. Mas você é apenas um rapaz, ainda tem muita coisa para aprender sobre a vida. — Ainda sentado, o representante Dimir balançava a cartola sobre o joelho. — A guerra não é agradável, entretanto se faz necessária. É um risco, uma aposta para permitir que o mundo continue a girar.

— Eis o problema — Pablo respondeu. — Quando o rico aposta na guerra, o pobre é quem morre.

O representante forçou uma risada sarcástica, olhando para os colegas, que repetiram a reação.

— Acho que o senhor deveria pensar um pouco melhor. Leve em consideração que vim de muito longe apenas para conversar com o senhor — insistiu Dimir.

— Agradeço a sua atenção, mas, desde o começo, avisei que seria irredutível.

— Sim — o representante balançava a cabeça lentamente, encarando Pablo com um ar ameaçador —, o senhor avisou... Naturalmente também devo alertá-lo das consequências.

Pude ver Pablo cerrando os olhos.

— Sim, esclareça-me quais são. — Tudo parecia uma espécie de encenação. Ambos estavam definitivamente com os ânimos exaltados e lutavam para parecerem os mais cordiais possíveis.

— Fui informado de que a sua máquina voadora precisará do combustível à base de betume. — Aquela era a última cartada de Dimir. — O senhor deve entender que, se conquistarmos as represas sem a sua ajuda, precisaremos restringir o comércio da matéria-prima e...

O representante se assustou com o barulho que a mesa de madeira fez quando os punhos fechados de Pablo a esmurraram, derrubando todos os copos de vidro da superfície. Os demais homens pareceram agitados e sem saber o que fazer. Pablo havia se levantado: naquele instante, não parecia tão jovem. Agora ele era o senhor da sala.

— NÃO OUSE AMEAÇAR A MINHA CRIAÇÃO! — esbravejou. — Saia da minha frente, antes que eu enfie esta espada na sua garganta! — Havia realmente uma espada sobre a mesa que eu, até então, não notara.

Para a minha surpresa, o representante, talvez meio confuso pelo surto repentino do jovem, levantou-se e seguiu em direção à porta sem falar nada. Parou no meio do percurso e virou-se para Pablo.

— Você sabe como o Reino de Amberlin foi erguido? — perguntou.

— Eu tenho livros de história, obrigado.

— Quando o Reino de Onn descobriu estas terras, passou a explorar todas as suas riquezas naturais. E, para povoá-las, trouxe barcos e mais barcos carregados de humanos da pior espécie: ladrões e prostitutas na maioria. Todos que nasceram aqui guardam esse sangue nas veias. Alguns estudiosos dizem que personalidade é hereditária, que as características vitais passam por gerações. — E olhou para mim pela primeira vez desde que entrou na sala. Encarou da cabeça aos pés a garota sentada, com cabelos bagunçados e vestido amassado, antes de completar: — Mas acho que você já descobriu isso.

Um chute no peito derrubou o representante, que perdeu o ar caído no chão enquanto Pablo apontava uma espada para a sua garganta. Dimir o encarava de baixo, ofegante, claramente assustado e arrependido. Pablo pousou o pé esquerdo sobre o peito do homem e aproximou a espada de sua garganta, com os olhos queimando em fúria.

— Não! — intervi, correndo para perto e segurando o braço de Pablo antes que ele fizesse uma besteira. — Pare, por favor!

Neste momento a porta se abriu, e entrou uma série de guardas atraídos pela confusão, seguidos de perto por um homem com grande barba branca, sentado em uma cadeira de rodas.

— Vejam só! — ele exclamou sorrindo, como se não entendesse a gravidade da situação. — Parece que o meu filho finalmente aprendeu a negociar!

Pablo me levou até o outro cômodo da mansão, e sentamos lado a lado em um sofá. Na minha casa, cada ambiente tinha uma função: a cozinha para comer, o quarto para dormir, a sala para conversar. Aquele cômodo específico da casa de Pablo não parecia ter uma função diferente da sala de estar pela qual já passamos. Nele havia apenas um grande sofá, uma estante com alguns livros e janelas enormes. Então pensei que uma casa daquele tamanho deveria estar lotada de cômodos inúteis ou com funções repetidas.

Sentado ao meu lado, Pablo permaneceu quieto, olhando para o nada, absorto em pensamentos. Há pouco tempo, estávamos rindo de coisas bobas. Logo em seguida, eu o vi gritando e apontando uma espada para a garganta de um homem.

— Está tudo bem? — arrisquei perguntar.

— Sim, está — Pablo respondeu. — Me perdoe por isso, por favor.

— Você não tem do que se desculpar — respondi, sincera. — O que acontecerá agora?

— Agora? Nada. O meu pai não vai me contrariar. Ele só acalmará os ânimos por lá e mandará o representante embora. Ninguém vai pressionar um senhor frágil como ele, sentado em uma cadeira de rodas. Sabe, Melissa, meu pai ficou muito desgastado com esse tipo de reuniões e passou as decisões sobre a fortuna da família a mim.

— Entendo. — Pablo parecia ainda um pouco tenso, apoiando os cotovelos nas pernas e encurvado para a frente. — Aquele material parecia importante para eles...

— E é realmente importante. Para todos os reinos nos próximos anos, eu diria. Mas, você entende... Nada justifica uma guerra. Nada. — Aproximou-se de mim e pegou a minha mão. — Me desculpe por isso.

O barulho da porta chamou a nossa atenção. Uma mulher na faixa dos quarenta anos passou por ela, com um ar nobre e uma aparência ótima.

— Pablo, o que aconteceu? — perguntou enquanto caminhava em nossa direção.

— Nada, mãe.

Senti uma pontada de vergonha por ser pega de mãos dadas com o filho daquela mulher que acabava de conhecer. Ela sentou-se ao nosso lado.

— Por acaso seria algo relacionado a Arab?

— Exatamente — ele respondeu.

— Um horror! — lamentou balançando a cabeça negativamente. — Pensei que ao menos respeitariam o estado de saúde do seu pai e nos deixariam em paz...

Ela esticou o pescoço para me enxergar logo atrás de seu filho e sorriu.

— Olá, moça!

— Olá! — respondi.

— Mãe — Pablo se levantou para que as duas ficássemos lado a lado —, permita-me lhe apresentar Melissa.

— É um prazer conhecê-la. — Ela apertou minha mão, e eu tive certeza de que as maçãs do meu rosto estavam tão vermelhas quanto a fruta em si.

— Também é um prazer conhecê-la — respondi.

— Melissa é uma druida! — Pablo contou.

— É verdade? — A senhora Eax agora olhava para mim.

— Estudando, na verdade — corrigi.

— Quando eu tinha a sua idade, sonhava em me tornar uma druida. Mas os meus pais não deixaram. Uma pena! Naquela época, a magia só era bem-vista se ajudasse nos afazeres domésticos. Qual é a sua especialidade?

— Flores. Eu conjuro flores.

—É um lindo dom. Combina com o seu nome.

O sorriso dela não parecia com o de Pablo, mas era tão lindo quanto. Como eu gostaria de me parecer com ela um dia!

— Eu odiaria ter de separar as duas melhores amigas. — Pablo interrompeu —, mas eu prometi aos pais de Melissa que a devolveria antes do escurecer.

— É verdade — concordei. — Preciso ir. Foi um prazer conhecê-la, senhora Eax.

— Também foi um prazer, Melissa — respondeu. — Mande cumprimentos meus aos seus pais e irmãs.

Não pude deixar de notar que, em nosso breve encontro, não fiz uma única menção sobre as minhas irmãs. Pablo falara de mim para a sua mãe.

— Desculpe — Pablo repetiu pela quarta vez quando chegamos à porta de casa.

— Sério, não precisa se desculpar — expliquei pela quarta vez. — Nada do que aconteceu foi culpa sua, e sim daqueles palermas de Fairon. Tirando isso, eu adorei o dia. Foi delicioso!

— É. Eu também gostei. — Algo na voz de Pablo o fez parecer muito sério.

— Algo o incomoda, Pablo?

— Bom, um pouco — sentou-se em uma pedra, frente ao portão.

— Foi algo que fiz? — perguntei levemente preocupada.

— Não. Não é você... Na verdade, sou eu.

— Não entendo.

Ele ficou em silêncio por um segundo, escolhendo as palavras.

— É a minha vida. Ela nunca será completamente normal, entende? Eu não posso conhecer melhor uma garota de que gostei sem me meter em um incidente diplomático no meio do encontro. E esse tipo de coisa acontece o tempo todo comigo. O tempo todo. Sem contar quando um jornalista invade a minha casa só para saber o que os meus pais comem no café da manhã. Não sei se é justo colocar você no meio dessa loucura.

Sentei-me ao lado dele.

— Ainda assim, eu quero conhecê-lo melhor. — Resolvi insistir.
— Então nada disso a incomoda?
— É claro que incomoda.
Ele riu.
— Então sinto informá-la de que a sua linha de raciocínio não faz nenhum sentido.
Sorri de volta para ele.
— Eu sei — respondi. — Apenas acho que toda essa história de "sentido" é supervalorizada.
— Bom, até o momento você tem feito bastante sentido para mim.
Eu não entendi muito bem o que ele quis dizer com aquilo, mas gostei do som que essa sequência de palavras produziu. Não quis perguntar sobre ela, pois poderia ser estragada por outro conjunto de palavras não tão charmosas.
Pablo sorriu de canto de boca, sua característica clássica, antes de continuar.
— Sabe, eu não ia realmente cortar a garganta daquele homem com a espada...
Eu ri.
— Tive uma ideia! — ele se animou. — O seu mosteiro não é longe da minha casa. Posso mandar alguém buscá-la todos os dias depois da aula para conversarmos um pouco. Seria uma boa maneira de continuarmos a nos conhecer melhor.
— Eu tenho uma ideia melhor — respondi.
— Estou ouvindo.
— Eu venho visitá-lo todos os dias depois do mosteiro, e você pensa melhor antes de dizer coisas como "mando alguém buscá-la".

Pablo levantou os braços em um bem-humorado sinal de incondicional rendição.
— Mulher independente. Entendi.
— Sim. — Rimos. — Então nos vemos amanhã?
— Nos vemos amanhã.
Ele foi tão rápido ao aproximar seus lábios dos meus para me beijar que eu não conseguiria desviar mesmo se quisesse. Gosto da forma como ele faz isso em um fôlego só.
— Sabe em que eu estava pensando?... — falei.
— Em quê?
— Com toda essa agitação que foi o seu dia, deu tempo de fazer o seu "algo novo"?
— Sim. Hoje eu fiz algo que nunca havia feito antes.
— E posso saber o quê?
— Não desta vez.
Eu o imitei, levantando as mãos em sinal de rendição.
— Homem misterioso. Entendi.

Pablo se despediu e montou seu (irritantemente clichê) cavalo branco para cavalgar de volta à mansão, onde provavelmente faria mais alguma checagem em sua máquina voadora antes de dormir.
Como é de praxe ao cruzar a porta de casa, levei um susto: tanto os meus pais quanto as minhas irmãs estavam sentados exatamente da mesma forma que os deixei, com as mesmas roupas chiques e uma completamente estranha expressão de curiosidade no rosto.
— E então? — perguntou uma das irmãs assim que entrei no recinto, sem ao menos dar a chance de alguém me cumprimentar. — Como foi?

CINCO ⟿⟿⟿

É muito fácil se acostumar com as coisas agradáveis. Virou parte da minha rotina: ao final da aula, fazia uma pequena caminhada até a casa de Pablo para conversarmos, nem que fosse por dez minutos. Apesar de programados, esses encontros eram muito mais espontâneos do que os que havíamos tido até então, o que me proporcionou a oportunidade de conhecer Pablo mais profundamente.

Eu sempre o encontrava no meio de seus afazeres, e quase sempre trabalhando na máquina voadora. Ela ainda não tinha forma — era apenas um monte de pedaços desconexos jogados pelo espaço —, mas era possível vislumbrar, ainda que de leve, o que Pablo tinha em mente pelos desenhos e projeções que fazia. Eles quase sempre mudavam, porém percebi que uma das bases usadas veio das observações de voo do Magrelo, seu dragão.

A minha avó Marga também parecia gostar de Pablo. Sempre que conversávamos, ela fazia questão de perguntar um pouco mais sobre as minhas impressões do garoto e abria um sorriso delicado quando eu entrava nesse assunto.

— Garoto inteligente — dizia. — Parece com você.

Conhecê-lo melhor foi gostoso e me levou a ponderar para tentar entender o que eu gosto e desgosto nele.

GOSTO: da forma como me olha.

DESGOSTO: às vezes parece absorto demais no trabalho com a máquina. Toda vez que chego, ele me olha como se levasse um susto. E parece ter certa dificuldade de sair desse fluxo de pensamento.

GOSTO: de como ele é bondoso. É do tipo que se mostra incomodado com qualquer tipo de injustiça e parece capaz de qualquer coisa para defender aqueles que ama.

DESGOSTO: de quando ele fica calado, parecendo estar emburrado.

GOSTO: da forma como me beija e de suas mãos, que nunca ficam paradas.

GOSTO: do jeito como ele sempre consegue me fazer rir.

GOSTO: do "algo novo" do dia.

GOSTO: de como enxerga o mundo.

GOSTO: do seu cheiro.

Admito: tem mais "gostos" do que "desgostos" no final das contas.

A cozinha da minha casa é sempre barulhenta durante o café da manhã, afinal são dez pessoas comendo ao mesmo tempo. Porém, naquela manhã, vigorava um silêncio anormal. Quase senti medo de entrar ali e descobrir que algo pavoroso tinha acontecido.

Para a minha surpresa, encontrei todas as minhas irmãs encurvadas tentando ler a mesma página de jornal.

— Que notícia imperdível é essa? — questionei, sentando à mesa.

— Isabel — Raquel respondeu.

— Quem?

— A Princesa Isabel.

Assim como Pablo, a Princesa Isabel era uma das figuras jovens que apareciam no jornal frequentemente. Na maior parte das vezes, em eventos políticos ou das altas rodas da sociedade. De vez em quando por algo realmente relevante que aconteceu em seu reino.

— O que aconteceu com ela?

— Ela fez o seu primeiro tratado como princesa. Acredita nisso? Tão jovem! Não tem nem vinte anos.

Os príncipes e princesas podem liderar três tratados antes de serem oficialmente coroados. Esses três projetos são idealizados, planejados e coordenados por eles. Funcionam como uma espécie de treino para quando tiverem de liderar um reino inteiro. Normalmente, esses tratados são pequenas atitudes, quase irrelevantes.

Mas não desta vez.

— Isabel assinou um tratado pelo fim da miséria em seu reino — Raquel explicou. — Tipo... pelo fim de TODA miséria! Quem não tem o que comer receberá comida gratuitamente.

— Isso é admirável! — exclamei. — Será que isso não pode acontecer por aqui também?

— Difícil — Raquel respondeu, enquanto as outras irmãs ainda tentavam ler o jornal, e minha mãe se espremia entre elas para servir o café da manhã. — MUITO difícil. A burguesia precisou abrir mão de um pouco de ouro, pois houve aumento de impostos, e isso foi o fim do mundo para eles.

— Como assim?

— Essa classe da população está revoltada. *Bastante* revoltada. Estão até ameaçando Isabel de morte, se você quer saber.

— Isabel é uma heroína! — Anita exclamou, entrando de supetão na nossa conversa, algo comum entre nós. — Manteve a sua decisão mesmo com toda essa pressão, todo esse perigo! Quantas mulheres teriam essa coragem?

— Sem dúvida, ela será boa rainha — Raquel completou.

— A melhor! — Anita claramente era uma fã. — Isabel estará nos nossos livros de história! Conseguem imaginar algo assim? Eu daria tudo para ser ela! Além de linda, é justa e corajosa! Como alguém consegu...

— Pode parar! — Natasha, do outro lado da mesa, interrompeu a irmã. Também entrou de penetra na conversa. — Esconda um pouco a sua animação, pelo menos enquanto estiver perto da Melissa! O mínimo de consideração não fará mal nenhum.

— De mim? — perguntei, confusa. — O que eu tenho a ver com isso?

Minhas irmãs se entreolharam, o que só aumentou a minha confusão.

— O que aconteceu?

— Você não sabe? — Raquel respondeu, falando baixo e se curvando para o meu lado. — Isabel foi a primeira namorada de Pablo.

Quando fui visitar Pablo naquela tarde, eu o encontrei embaixo da máquina voadora, apertando um parafuso.

— Oi, Mel! — disse enquanto se levantava. Ele passou a me chamar assim depois de um tempo.

— O que é isto no seu pulso? — perguntei.

— Isto o quê?

— Isto — disse ao me aproximar e segurar o seu braço.

— Ah, sim! É o meu relógio.

Realmente era um relógio. De ouro maciço, com uns quatro ponteiros se movendo em perfeita precisão.

— E por que o relógio está no seu pulso?

— É uma longa história. Eu perdia tempo demais para tirar o relógio do bolso enquanto trabalhava na máquina. Também é perigoso quando se está em um balão, já que é preciso ter as duas mãos sempre disponíveis. Então fui a um joalheiro e pedi que resolvesse esse problema para mim. — Ele mostrou a parte de trás do pulso para exibir como funcionava o cordão que prendia o relógio ao braço. — Depois de algumas semanas, o joalheiro chegou a esta solução. Simples, não?

— Parece que você está usando uma pulseira — brinquei.

— Não me importo. É prático! E, se é prático, uso. Não posso perder tempo com bobagens.

Não pude evitar que um pensamento passasse pela minha mente por um milésimo de segundo: e se *eu* fosse uma bobagem?

Pablo estendeu um pano sobre o gramado, à sombra de uma árvore, para nos sentarmos. Ficamos juntos até uma das criadas chegar trazendo um lanche que consistia em pães, queijos e sucos. Fizemos um piquenique enquanto conversávamos sobre os mais variados assuntos. Lógico que, eventualmente, a máquina surgia...

— E como anda a sua máquina voadora? — perguntei.

Ele olhou para mim, e pude sentir a excitação passando por cada centímetro do seu corpo.

— Quer mesmo saber? — perguntou.

— É claro! Como você vai voar?

— Na verdade, a pergunta que tento responder é muito simples. O complicado é a resposta. — Levantou-se animado e deu um pulo. — Viu isso?

— Isso o quê? — de fato, não tinha notado nada.

— O que eu acabei de fazer?

— Pulou como uma criança.

— Muito perspicaz, mocinha! — Ele riu. — Mas entende o que aconteceu? Eu voltei para a terra rapidamente por causa do meu peso, puxado pela gravidade, essa vilã que quer manter todos nós pregados no chão como minhocas.

— Parece que você tem um problema pessoal com a gravidade — provoquei, ainda sentada no chão.

— Pode apostar que tenho! Mas permita-me continuar a linha de raciocínio. — Pablo abriu os braços como se quisesse abraçar o mundo. — A grande questão aqui é uma só: como anular o peso de algo? É claro que nós temos balões e dirigíveis, cujo truque é ridiculamente simples: eles dispõem de um recipiente de ar quente ou gás hélio, que são mais leves do que o ar comum.

Dá para levantar qualquer coisa assim.

— Então, problema resolvido? — Ainda sentada, eu observava uma espécie de espetáculo promovida por Pablo, que gesticulava e andava de um lado para o outro bem à minha frente.

— Negativo! Não temos nada de problema resolvido aqui. Nadinha! — Balançou a cabeça por uns quatro segundos antes de continuar: — Essas máquinas são aberrações. Lerdas, imprevisíveis, péssimas de manobrar... Estão mais para brinquedos que inflam o ego dos seus donos do que para máquinas de fato. — Aí deixou escapar uma risadinha. — Tal qual aquela aranha de ferro que vimos com o representante de Fairon. Lembra-se dela?

— Também não entendi muito bem aquela máquina.
— Eu me recordava do barulhento e confuso meio de transporte usado por Dimir quando visitou Pablo.

— O mundo está cheio dessas máquinas inúteis. Eu penso em algo mais sofisticado. Muito mais sofisticado. Na primeira vez em que conversamos, contei para você sobre os pássaros. Eles são a chave de tudo! Só precisamos entender como funcionam e... *Bang!* — Sinalizou dando um soco na palma da mão direita. — Respostas!

— Você passa muito tempo tentando entender isso, certo?

— Sim! Já tenho milhões de palpites, porém uma das minhas teorias parece correta. Só preciso colocar em prática. Até o momento, todas as contas batem.

— Você consegue explicar um pouco melhor?

— É bem complexo, mas talvez eu consiga simplificar. Olhe para os pássaros novamente. Eles possuem asas! Os dragões possuem asas! As abelhas possuem asas! Tudo que a natureza quer que voe ganhou esse par de acessórios.

— Então você está construindo asas?

— Não somente elas, que por si só não funcionam. Acredite em mim, eu já testei.

— Como?

— Pulei de uma ribanceira com asas de cera. Foi uma besteira, eu sei. Era jovem, subestimava o poder da matemática...

"Pablo pulou de uma ribanceira com asas de cera." A minha mente repetiu essa frase umas dez vezes e, mesmo assim, não deixou de soar estranha.

— Não. Não é suficiente. Eu preciso de um motor forte como o de um trem. Preciso de tração, empuxo... Uma série de ações da física para fazer com que o ar passe da maneira correta pelas asas da máquina de forma que ela levante voo. — Sentou-se ao meu lado e olhou para o céu como se estivesse imaginando a sua máquina destoando daquele azul monocromático. Imaginando o dia em que ele mesmo faria parte daquilo. — E, quando isso acontecer, a máquina será ágil, veloz e fácil de manobrar. Será natural como cavalgar.

Pablo continuou encarando o céu enquanto eu o encarava. Ele exibia aquele sorriso de canto de boca.

Resolvi mudar de assunto.

— Eu vi o que Isabel fez. — Esperei para ver a reação dele ao ouvir o nome de Isabel saindo da minha boca. — Li no jornal de hoje.

— A princesa? — perguntou vagamente, ainda olhando para o céu, sem esboçar nenhuma reação.

— Sim...

— Admirável, não é mesmo? Medidas assim precisam ser aplicadas em Amberlin urgentemente. Estou muito orgulhoso dela. Nós crescemos juntos, em uma mansão não tão diferente desta. Não estudamos em um colégio, então as únicas crianças da nossa idade com que convivemos fomos nós mesmos. Foi assim por muitos anos.

Eu me perguntei se ele entendia a gravidade de falar sobre a sua estreita relação com a ex-namorada para a atual.

— Eu já mostrei a você a nossa biblioteca? — perguntou repentinamente.

— Vocês têm uma biblioteca?

— Como eu sou tolo! Passo todas as tardes com uma das maiores leitoras do mundo e nunca tentei impressioná-la com a minha extravagante coleção de livros! Me acompanhe, você verá!

Nunca entendi como Pablo sabia o caminho para todos os cômodos dentro daquela mansão. Tivemos de andar por cerca de dez minutos, passando por diversos corredores. As paredes exibiam uma infinidade de grandes quadros com molduras douradas, retratando pinturas a óleo de homens uniformizados e postura nobre.

— Quem são estas pessoas? — perguntei.

— Não faço ideia — respondeu. — Duvido que o meu pai ainda se lembre de quem são. É o tipo de quadro que todos os ricos precisam ter em casa. Nunca entendi muito bem. — Ponderou por um segundo e abriu uma porta à direita. — Mas, já que você tem interesse por quadros, deixe-me mostrar isto antes.

Aquela sala não tinha um único livro ou móvel: estava repleta de quadros com pinturas de flores e paisagens naturais.

— Estes quadros, sim, me interessam! — exclamou. — Foram todos pintados pela minha mãe.

— Verdade? — Eram quadros genuinamente bonitos. Dediquei especial atenção a um onde o Sol escondia-se em parte por trás de duas montanhas. — São lindos!

— Eu sei que são. Existe algo que a minha mãe não conta para ninguém, então é o nosso segredo: ela os pinta com magia. Deve ser a única transgressão que pratica.

— Ela me disse que não é uma druida...

— E não é. Nunca colocou os pés em um mosteiro, nenhuma formação tradicional. Mas, de alguma forma, ela aprendeu essa magia. É o único *hobby* da minha mãe. — Pablo me abraçou por trás, encarando o mesmo quadro que eu. — Deve ser uma boa sensação, não é? Poder fazer magia...

— Não deixe ninguém ouvi-lo falando isso — provoquei — ou vão pensar que você quer virar uma mulher!

Ele riu.

— Não vejo nenhum problema nisso. Vocês são admiráveis! E digo mais: sou contra essa proibição que impuseram ao uso de magia fora dos mosteiros. Daqui a alguns anos, vamos dar risada dessas regras absurdas. Mas isso é papo para outra hora. Venha! Quero mostrar a biblioteca para você.

A biblioteca não estava mais do que duas portas da sala dos quadros. Era enorme. Todas as paredes estavam cobertas por estantes... Milhares de livros se concentravam em um único cômodo, e imediatamente senti certa ansiedade ao presumir que não conseguiria ler todos. Precisaria viver três vezes para isso.

— Gostou? — ele perguntou.

— Se eu gostei? Mas é claro que gostei!

— Você pode pegar o que quiser, quando quiser. Tenho certeza de que temos algo sobre magia e botânica também, mas acho que você se interessará mais pelos romances.

Passei o dedo pela lombada de algumas obras. Notei um título escrito em outra língua.

Ali mesmo, cercada por livros, fui beijada por Pablo. Deitamos no tapete da biblioteca e permanecemos abraçados de olhos fechados.

— Nunca tinha trazido ninguém para a biblioteca antes — ele falou. — Esta será a minha coisa nova do dia.

— A coisa nova do dia de hoje foi bem fácil, então.

— Às vezes é.

Cochilamos no chão.

SEIS ⚬⚬⚬⚬⚬⚬⚬⚬⚬⚬⚬

Todas as aprendizes do mosteiro estavam apreensivas naquela tarde. As aulas sempre começavam pontualmente, e, pela primeira vez, passou-se o horário de início sem que nenhuma Completa aparecesse no salão para nos orientar. Permanecemos em silêncio, tentando imaginar o que poderia ter acontecido.

Vinte minutos depois do esperado, a Mestra entrou na sala com uma passada rápida e firme, sem sorrir para nenhuma de nós. Atrás dela estava apenas Isis, que mirava o chão. Ainda assim era possível notar que os seus olhos estavam vermelhos e inchados, como se tivesse acabado de chorar.

— Hoje será o dia dos cuidados com o mosteiro — a Mestra anunciou. Era comum que as discípulas fossem as encarregadas da limpeza do mosteiro. De tempos em tempos, uma das aulas era trocada por uma faxina em conjunto. — Vocês sabem onde encontrar os baldes e vassouras. Lembrem-se de que o mosteiro também é o lar de vocês e deve ser tratado como tal. Não queremos ser importunadas até o final da limpeza.

Dito isso, deu meia-volta e passou pela misteriosa porta cujo outro lado nunca conhecemos (e espero nunca conhecer). Uma a uma, as meninas passaram a equipar-se com vassouras e panos para cumprirem sua parte da tarefa.

— A maior druida de Amberlin... — ouvi uma das meninas falar, claramente incomodada —, e não conhece um bendito feitiço para tirar a poeira do salão!

— Estranho, não é? — virei-me para Camila. — Será que algo aconteceu com Irish?

— Não sei, mas não deve ser nada grave... Mudando de assunto por um instante: quando você planejava me contar que está namorando Pablo Eax?

Deixei a vassoura cair.

— Foi difícil descobrir?

— Bastante. Tive de juntar fragmentos do que eu conseguia ler ao longo dos dias. No começo, não quis acreditar, mas a imagem dele aparece claramente agora. Eu não conseguia entender: parecia que você estava namorando um passarinho. Agora tudo faz sentido. Pablo é um passarinho, não é? Ele está louco para voar!

Camila pegou uma pá de lixo e segurou à minha frente enquanto eu varria a poeira para dentro do recipiente.

— Eu agradeceria se você não contasse isso para ninguém — falei.

— *Mas por quê?!* Se eu namorasse Pablo Eax, faria questão de que todo mundo soubesse! Ele é a coisa mais perfeita deste reino! Todos o amam! E ele é lindo! Lindo de morrer!

Levou a pá para a janela e virou a poeira do lado de fora do mosteiro.

— É... Tudo bem. Apenas não conte. Promete?

— Como você o conheceu?

— Ele apareceu no colégio em que estudo.

Ela me encarou demoradamente

— Simples assim? — perguntou.

— Simples assim.

— Ele simplesmente quis falar com você? — Camila olhava para mim de um jeito que me incomodava muito. Reparava no meu cabelo e no meu corpo, como se estivesse procurando algo. — Sem ofensa, mas... ele é bonito demais, não é? E você é normal.

— Muito obrigada! — eu disse — "Sem ofensa!"

— Você sabe que a última namorada dele foi a Princesa Isabel, não é?

— Eu sei.

— Ela é linda!
— Eu sei.
— Muito mais linda que você.

Lancei o meu maior olhar de censura na direção de Camila.

— Sem ofensa! — repetiu.
— Vamos falar sobre outra coisa. Você realmente está mais preocupada com o meu namoro do que com Irish?
— Fique tranquila, Melissa. Eu encontrei Irish ontem à noite, e ela estava bem.
— À noite?
— Sim. As Completas podem circular pelo reino também, sabia? Isto aqui não é uma prisão!
— Eu sei, mas... eu nunca vi uma Completa pelas ruas antes. Ela estava sozinha?
— Sim, sozinha. — Em seguida, acrescentou pensativa: — Na verdade, ela parecia um pouco apreensiva mesmo. Levou um susto quando me viu.

Tentei imaginar o que Irish fazia à noite fora do mosteiro, andando sozinha pelo reino e, ainda por cima, apreensiva.

Mesmo depois da limpeza, nenhuma Completa apareceu para nos dispensar. Apenas permanecemos ali esperando algum sinal até aceitarmos, enfim, que ninguém apareceria e podíamos ir para casa.

Do mosteiro fui direto visitar Pablo e, como de costume, eu o encontrei rabiscando as plantas da máquina voadora. Buscamos fazer algo diferente: caminhamos juntos pelo reino, o que acabou se provando um tanto incômodo. Diversas pessoas nos interrompiam para falar com Pablo, agradecendo por doações feitas por sua família, declarando apoio à sua invenção ou simplesmente para o cumprimentarem. Grande parte dos moradores de Amberlin considera uma honra inquestionável poder conversar com qualquer membro da família Eax.

Depois da sexta ou sétima vez em que fomos parados, comentei que agora entendia o motivo de ele passar tanto tempo trancado na mansão. Pablo respondeu dizendo que é o tipo de coisa a que você se acostuma com o tempo, e eu torci para que ele estivesse certo.

Ao virar uma esquina, deparamos com uma movimentação estranha. Diversas pessoas se aglomeravam na rua, disputando espaço e esticando o pescoço para enxergar algo além da multidão. Parecia uma espécie de festa.

— Com licença, senhor. Poderia nos dizer o que está acontecendo aqui? — Pablo perguntou a um camponês alto assim que nos aproximamos da multidão.

O homem estava para responder normalmente quando notou que estava falando com Pablo Eax.

— Senhor Eax? Nossa! O senhor precisa ver isto de perto. Tenho certeza de que vai adorar! — E abriu espaço entre as pessoas, nos colocando logo à frente.

Pablo não adorou o que encontrou.

Máquinas de guerra desfilavam lentamente, em fila, pelas ruas de Amberlin. Pareciam automóveis reforçados, grandes, com espinhos pontiagudos em todas as extremidades e um canhão de pólvora na dianteira. Entre uma máquina e outra, soldados marchavam exibindo um cartaz:

"PARA A SUA SEGURANÇA"

— O rei comprou estas máquinas para o exército de Amberlin — o camponês comentou animadamente, ignorando a expressão fechada do Pablo. — Ele está mostrando para nós que se importa com a segurança do povo! Você entende de máquinas, não é, senhor Eax? Pode nos dizer se estas são boas? Eu sou só um fazendeiro, mas, ao meu ver, elas parecem eficientes!

— Não são — Pablo respondeu.

As máquinas eram barulhentas e ameaçadoras, do tipo que poderiam destruir uma pequena cidade sem esforço. Pablo as seguia com os olhos, e eu o sentia distante, absorto em pensamentos. Nenhum músculo do seu corpo se mexia.

Passei a me questionar se Pablo enxergava aquilo como uma mensagem de afronta do rei. Um sinal de que a guerra aconteceria com ou sem ele.

— Pablo, está ficando tarde. Melhor voltarmos para a sua casa — falei.

Ele pareceu não me ouvir. Permaneceu parado, encarando as máquinas.

— Pablo! — Só despertei a atenção dele quando toquei seu braço e o tirei do transe. — Vamos embora daqui.

Quando nos afastamos da multidão, Pablo finalmente se pôs a falar sem parar. Comentou sobre a indignação com o rei, sobre os males da guerra e, principalmente, sobre o pecado mortal e a falta de ética que é usar a ciência como arma.

— Acontece cada vez mais — ele disse. — Os homens da ciência, que deveriam trabalhar para melhorar o mundo, prostituindo as suas criações em serviço da guerra. As maiores mentes da minha geração estão ocupadas em criar novas maneiras de matar.

E, ao abrir os portões da mansão, foi categórico.

— Existe uma coisa da qual esses bastardos podem ter certeza: a minha máquina voadora nunca servirá à guerra. Nunca colocarão as mãos nela.

Provavelmente o rei não estaria interessado em uma máquina que ainda não existia... Todavia, eu não expressei nada disso em voz alta.

SETE

Um grilo tinha entrado na casa da avó Marga, e eu não conseguia encontrá-lo, por mais que tentasse. O bicho cantou a noite passada inteira, atrapalhando o sono de Marga. Ela queixou-se do ocorrido, e passei horas virando móveis, procurando pelo chão e olhando gavetas. Eu podia ouvir o som que ele produzia, mas não conseguia localizar a sua origem.

— Desista, Melissa — Marga aconselhou, observando enquanto eu me deitava no chão para procurar embaixo do armário. — É impossível encontrar um grilo que não queira ser encontrado.

Aceitei a minha derrota e sentei-me ao lado de Marga.

— E como você está hoje, vó?

— Bem, creio eu. Até fiz uma nova amizade: o grilo!

— Rimos juntas.

Aos pés dela, na cama, notei um exemplar do *Diário de Amberlin* em meio aos livros de sempre. E não pude deixar de ler a primeira página. Quando saí de casa, mais cedo, minhas irmãs brigavam pelo jornal, típico dos dias em que Isabel era a notícia da vez. Passei direto por elas, porém, agora que o jornal estava em minhas mãos, não conseguia simplesmente ignorar.

Era algo muito mais sério do que eu havia imaginado. Algumas pessoas tentaram atacar o castelo da família de Isabel como um ato de repúdio à nova lei que ela havia instaurado. Uma pedra foi lançada contra a janela, e dois revoltosos pularam os muros. Eles estavam desarmados e não representavam perigo real, comparados aos treinados seguranças do castelo. Além disso, a princesa nem estava lá no dia do ataque. Ainda assim, o fato pode ser um prelúdio de algo pior. A segurança do castelo foi reforçada, e Isabel cogita deixar o reino por alguns meses.

A princesa só saiu da minha cabeça durante a aula no mosteiro. Mais uma vez, Irish não apareceu, e as outras Completas não falaram nada a respeito. Nenhuma de nós teve coragem de perguntar o que estava acontecendo, e tanto as alunas quanto as Completas seguiram a aula normalmente, fingindo ignorar o peso da pergunta sobre os nossos ombros.

À medida que fomos avançando no treinamento, as aulas ficavam mais difíceis e frustrantes. A minha principal meta para aquela semana era criar uma espécie nova de flor, e não conjurar uma já existente. Ao me sentar no chão, fazer os gestos mágicos e logo espalmar as mãos, tinha mais energia para conjurar os detalhes da planta inédita, mas o resultado era sempre muito parecido com o que já existia. Eu nem ao menos conseguia visualizar na mente o que eu queria conjurar... E tentar descobrir alguma pista sobre o que teria acontecido com Irish só me atrapalhava.

Na décima tentativa, quando já estava dando verdadeiras pancadas com a palma aberta no chão, conjurei uma rosa amarela. Tentei identificar algo que a diferenciasse de uma rosa comum, porém não encontrei nada. A Mestra, que estava passando por perto, ouviu-me bufar de raiva.

— Você precisa manter a calma, Melissa — a Completa orientou com a sua voz serena e firme. Embora Isis também estivesse presente e caminhasse entre as alunas como sempre, os momentos em que ela parava e aconselhava eram raros, ao contrário da Mestra. — O maior problema na sua magia está na falta de concentração. Não deixe a frustração tomar conta da sua essência. A maior virtude de uma Completa é a paciência.

— Eu não me tornarei uma Completa — deixei escapar.

A Mestra tinha a habilidade de impedir o aparecimento de qualquer expressão facial, o que tornava impossível saber o que se passava em sua mente na maior parte do tempo. Mas o seu silêncio de vinte segundos disse muita coisa.

— É uma pena! — respondeu por fim. — Você é a druida mais talentosa daqui. Seria uma excelente Completa se quisesse.

— Desculpe. — Era difícil argumentar com alguém que nem ao menos parecia humano. — Eu não quero faltar com o respeito. Sei que seria uma honra, mas também sei que isso não é para mim. Só de pensar em todas as coisas das quais eu teria de abrir mão... Só de pensar nisso, eu já sei que essa não é a minha vocação.

Não sei de onde tirei tanta coragem.

— Você faz uma escolha sensata — a Mestra me surpreendeu em sua resposta. — Ser uma Completa é uma atividade que exige tudo do seu físico e do seu espírito. Se você não tem total certeza, do fundo de sua alma, de que deve seguir essa doutrina, não deve nem tentar.

— Obrigada...

— Agora volte à sua flor. A concentração ainda é importante neste caso!

A flor não saiu até o final da aula, e eu tive de me conformar com isso. Àquela altura, eu já havia percorrido o caminho que levava do mosteiro à mansão de Pablo tantas vezes que as minhas pernas faziam o trajeto praticamente por conta própria.

Encontrei Pablo no mesmo lugar de sempre: sua área de trabalho excessivamente bagunçada. Espalhados pelo chão estavam uma caneca de chá de Lesde, pedaços da máquina voadora (que pareciam não fazer o menor sentido) e diversos papéis com anotações, alguns com gravuras furiosas em caneta vermelha em cima das contas: "TUDO ERRADO".

Pablo estava sentado e de olhos fechados. Pensei que estivesse dormindo, contudo estava enganada.

— Estou pensando...

Ato contínuo, largou toda sua atividade para dedicar algum tempo de atenção a mim. Nós sentamos no jardim, no local em que ninguém podia nos ver, perto de Magrelo.

Não sei ao certo o porquê, mas nossas conversas sempre acabavam indo para um rumo no qual apresentávamos relatos de nossas infâncias, que não poderiam ser mais diferentes. Tudo que Pablo contava me dava a impressão de que ele fora uma criança um tanto solitária. Era fácil imaginar um pequeno Pablo brincando de faz de conta dentro de um casarão enorme, sem nenhum irmão ou outra criança para interagir, e sempre protegido pelos muros, sem poder se aventurar nas ruas, onde estaria à mercê de sequestradores. Aquilo era muito diferente da minha infância: a rua não era apenas livre mas quase obrigatória, uma vez que minha casa não suportava o seu número de habitantes. Quase sempre havia uma criança na família. Mal crescia uma das irmãs, e já surgia outra.

— Eu gosto de escrever — informou Pablo no momento da conversa em que começamos a listar as coisas que gostamos de fazer.

— Sério? — perguntei interessada. — Que tipo de coisas você gosta de escrever?

— Todo tipo de coisa — respondeu entre um gole e outro de suco de jabuticaba. — Passo muito tempo fazendo anotações sobre a máquina voadora, mas também tenho um diário particular.

Tirou um caderno de capa roxa de dentro do casaco.

— Aqui é onde escrevo sobre as coisas do meu dia. As coisas que sinto e vejo. É bastante pessoal.

— Que lindo! — exclamei. — Eu posso ler?

— Claro!
— Sério?
— Não! — respondeu guardando o caderno de volta.

Nós rimos. No entanto, ainda fiquei curiosa para ler pelo menos uma página daquele caderno. Será que tinha algo escrito sobre mim?

— Eu amo ler — contei. — Sou uma das maiores frequentadoras da biblioteca oficial de Amberlin. Por outro lado, nunca tive sucesso em escrever. Já tentei várias vezes, porém nunca saiu nada legal. Você tem algum conselho?

— Eu tenho. A meu ver, você deve fechar os olhos para escrever bem.

— Escrever de olhos fechados?
— Sim.
— Como?
— Vou provar isso com uma experiência.

Pablo se levantou e estendeu-me a mão para que eu me levantasse também. Posicionou-me estrategicamente bem à frente dele e sorriu.

— Pronta? Agora quero que você descreva esta cena em que nos encontramos. Como se fosse escrevê-la em um livro.

Tentei lembrar como eram as cenas descritivas dos meus livros favoritos. Dei uma boa olhada em volta...

— Bem — comecei —, dois jovens estão parados frente a frente em um quintal muito grande. O Sol começa a apresentar os primeiros sinais de que fugirá de nós. A grama está verde, e há migalhas de pão espalhadas pelo chão.

— Nada mal — Pablo disse. — Agora feche os olhos e descreva esta mesma cena.

— Como descrever coisas novas com os olhos fechados?
— Apenas tente.

Fechei os olhos. Pensei por alguns segundos e percebi que nada de útil sairia da minha mente daquela forma. Em vez de pensar em algo legal, fui pescando as únicas sensações que surgiam.

— Estou em pé em um lugar que me deixa em paz e perfeitamente ansiosa ao mesmo tempo. É impossível parar de sentir certo friozinho na barriga, como quem sobe em uma colina e, lá de cima, olha para baixo. Você sabe que está segura, mas, ainda assim, não deixa de lado essa sensação na boca do estômago. Depois de um tempo, você até se acostuma e passa a considerá-la gostosa. Estou em um campo aberto e sei disso porque o vento bate no meu rosto de forma que é possível sentir que nada interrompeu o seu trajeto até mim. A brisa sopra o meu cabelo em direção ao meu rosto, fazendo cócegas.

— Continue. — Quando Pablo disse isso, sua voz estava muito próxima de mim. Tenho certeza de que o corpo dele estava a menos de um dedo do meu.

— Algo faz o frio na barriga aumentar — prossegui. — Sinto o sangue correr muito mais veloz pelo meu corpo, inclusive estou achando que serei beijada...

E fui beijada.

— Viu só?! — exclamou Pablo quando os nossos lábios finalmente se desgrudaram. — Você fez uma descrição muito mais bonita, real e interessante para um livro quando fechou os olhos. Até foi um tanto quanto vidente.

—Tenho de admitir que foi um bom conselho. Agora me sinto na obrigação de ensinar algo novo para você.

Ele pensou por um segundo.

— Pena que não é possível ensinar essa história de magia... Sabe no que eu estava pensando? — Pablo estendeu os dois braços paralelos ao corpo. — Você consegue fazer flores complexas brotarem do nada, correto?

— Correto.

— Então acho que, se usar o meu corpo como base de sustentação, você consegue erguer uma trepadeira de, no mínimo, um metro.

— Não sei... E eu não posso usar magia fora do mosteiro.

— Aqui pode, sim. Ninguém está vendo, Mel. E tenho certeza de que é possível usar um pouco de lógica científica inclusive na magia. Vai dar certo.

Ele parecia excitado em testar a sua recém-criada teoria. Fui contagiada pelo seu entusiasmo em saber o limite dos meus próprios poderes.

— Quando você estiver pronta! — ele disse.

Olhei para os pés de Pablo. Eu poderia fazer a planta crescer se agarrando neles sem grande dificuldade. Ergui minhas mãos espalmadas e me concentrei para entrar em união com tudo que nos cercava. Lentamente, a planta começou a se erguer do chão e se apropriar do corpo de Pablo. Fazê-la subir pelas canelas dele não foi tão difícil quanto eu esperava: a planta conjurada fazia isso de forma tão volumosa que não era possível enxergar as roupas do rapaz por debaixo dela.

Pablo sorriu ao notar o meu sucesso — a trepadeira se agarrava a suas coxas e continuava a subir. Eu percebi que os estalos vindos da planta enquanto ela crescia diminuíam quando minha concentração enfraquecia, então passei a me esforçar ao máximo para manter o foco. Não podia deixar a energia mágica parar de fluir em meu corpo.

Meu foco, contudo, não foi suficiente quando a planta começou a percorrer uma circunferência maior, que era a cintura de Pablo. Ela continuava a crescer, mas vários trechos quebravam e caíam secos no chão. As partes que sobreviviam subiam com menos força, mais ralas e com pouca vida. Até que chegou o momento em que não era mais possível continuar.

O resultado ficou incrível. Pablo olhou maravilhado para mim sem poder se mover, já que seu corpo estava imerso em uma trepadeira até a altura do peito.

— Que demais! — ele exclamou. — Se você treinar, poderá ir até além. Tenho certeza de que, com essa técnica, você será capaz de envolver a minha casa inteira.

— Só vamos ter trabalho ao procurar uma utilidade para isso — desdenhei.

— Absolutamente nada é inútil, Mel — Pablo respondeu convicto. Tentou se livrar da planta sem sucesso. — Uau! Você fez algo consistente aqui. Os galhos são flexíveis, resistentes... Por favor, pegue um canivete em minha mesa para me ajudar a sair, amor.

"Amor". Foi a primeira vez que ele me chamou assim, e o fez como se fosse a coisa mais comum do mundo, como se eu já soubesse que era o amor dele e como se o seu amor por mim fosse óbvio. A verdade é que nos vemos todos os dias há alguns meses, mas não paramos para conversar sobre a situação. Nem sabia ao certo se já o amava. Sabia apenas que sentia a falta dele quando não estava por perto. Sabia que tentava guardar qualquer fato curioso sobre o meu dia na memória só para contar a ele. Sabia que um sorriso surgia involuntariamente no meu rosto sempre que o via. Sabia que ele era o meu último pensamento antes de cair no sono e o meu primeiro pensamento ao acordar...

E isso era muito assustador.

OITO

Uma mancha de mofo se formou no fundo do armário da cozinha da avó Marga. Quando abri a porta do móvel para pegar um copo, reparei que a mancha tinha um formato parecido com a cabeça de um homem adulto. Então fechei a porta, guardando, assim, a cabeça de homem adulto na escuridão.

    Enchi o copo de água e o entreguei a Marga, que bebeu o líquido com as mãos trêmulas e certa dificuldade. Sentei-me ao lado da cama dela e permanecemos em silêncio durante alguns minutos.

— Marga — eu disse —, posso perguntar uma coisa?
— Sim, meu amor. É claro.
— Quando a gente sabe se é amor?
— Quando começamos a questionar se é amor ou não.

NOVE

As meninas já se encontravam no mosteiro, todas aglomeradas próximas à porta e cochichando.

    Quando me aproximei, sorri aliviada ao ver que Irish estava de pé bem à nossa frente. O alívio durou menos de um segundo, pois não era certo dizer que estava tudo bem com a Completa: ela não usava as vestes habituais, e seus olhos estavam vermelhos e inchados, derramando longas lágrimas, que contornavam as maçãs do rosto. Aos seus pés, malas.

    Diante de Irish estava a Mestra, ainda com as vestes, a postura ereta e uma expressão fechada, que não transparecia nenhum sentimento — ao contrário de Isis, que parecia segurar o choro com todas as forças.

— Você estava certa — Camila disse assim que me aproximei. — Havia algo de errado com Irish.

— Mas o quê? — perguntei.

— Irish estava tendo um caso. — Completas são estritamente proibidas de se relacionar romanticamente com outra pessoa. — Há dias, ela se encontrava às escondidas com uma camponesa. Por isso pareceu assustada quando eu a encontrei naquele dia.

Os cabelos ruivos de Irish não estavam penteados. Suas pernas balançavam tanto que parecia poder cair a qualquer minuto. Era impossível não sentir o impulso imediato de socorrê-la, abraçá-la, dar qualquer suporte. Mesmo assim, ninguém o fez. Nem mesmo eu.

— O que acontecerá com ela agora? — perguntei.

— Irish se tornará uma renegada — Camila explicou. — A Mestra já retirou o seu título de Completa. Assim que ela colocar os pés fora do mosteiro, nunca mais poderá voltar. Não poderá mais entrar em nenhum mosteiro.

— Isso é terrível...

— São as regras...

Mesmo em tom baixo, era possível ouvir as preces de Irish: "Por favor".

A Mestra não parecia muito diferente de uma estátua de cera. Imaginei que renegar uma Completa deveria ser um ato difícil, mesmo para ela.

— Irish passou tanto tempo se dedicando ao estudo da magia... — refleti. — Ela não tinha uma vida fora do mosteiro. Agora não tem nada.

— Sim — Camila concordou —, ela era uma excelente Completa. Pouquíssimas bruxas conseguem sucesso no treinamento para se tornar uma. Isso é uma besteira... Uma besteira sem tamanho! Ninguém deveria abrir mão dos próprios sonhos por causa de um namoro.

— Eu não sei — contestei. — Ela pode estar apaixonada. Se for o caso, pode valer a pena, não?

— Se estivesse tão apaixonada, não estaria implorando para ficar — Camila respondeu com rispidez. — Amor acaba, Melissa. E, quando acaba, não resta mais nada do que o arrependimento em não ter investido tempo suficiente em si mesmo.

Encarei novamente a figura deprimente de Irish chorando em frente a uma plateia.

— Saia! — a Mestra ordenou usando o tom de voz habitual. — Agora.

A Completa renegada segurou suas malas abarrotadas e caminhou a passos pesados em direção à porta, olhando para o chão, sem fitar nenhuma de nós diretamente. Continuou andando rua abaixo até desaparecer no horizonte.

— Gosto da ideia do legado — Pablo me disse, justificando os sacrifícios que fazia pela sua invenção enquanto estávamos deitados em seu jardim. Eu buscava prestar atenção em cada palavra que Pablo soltava na tentativa de afastar a imagem de Irish chorando ao carregar as próprias malas pela rua. — Um dia vou morrer e partir para um ponto de interrogação do tamanho de um penhasco. Mas teria a certeza de que deixei um legado, algo que possa durar além de mim. Gosto dessa ideia.

Aquilo me pareceu um pensamento abstrato demais para levar ao pé da letra como estilo de vida, contudo ficou bem claro que Pablo baseia sua vida em conceitos poéticos. Ele faz uma coisa nova a cada dia e escreve de olhos fechados. É um jeito interessante de viver.

Não vi a família Eax naquele dia, pois, na verdade, eram raros os dias em que eles apareciam. Não existia palavra melhor para descrever a família de Pablo do que "quieta". Sua mãe era linda e educada. Parecia gostar de mim, e não passávamos mais tempo conversando apenas porque ela dedicava toda sua atenção e energia a cuidar do pai de Pablo, que era debilitado. Ele era obrigado a andar de cadeira de rodas em razão de um golpe que sofrera na coxa direita durante a defesa do Castelo de Faerun, uma das batalhas mais sangrentas da história recente.

O próprio Pablo parecia disposto a ajudar nessas tarefas, assim como todas as outras dezenas de criadas, mas a senhora Eax nunca permitia. Imaginei o amor que pulsava nessa história, da mulher que protege o marido cuidando dele com tamanho afinco. Gostaria de saber como se conheceram, como se apaixonaram e se eram parecidos comigo e com Pablo. Nunca tive coragem de entrar nesses detalhes, e era um assunto que Pablo também não comentava.

Passávamos algumas tardes apenas brincando com Magrelo, o dragão. Ele era tão doce quanto qualquer outro animal doméstico.

— Eu o ensinei a soltar fogo — Pablo disse uma vez. — Olha só. Magrelo! — O dragão o encarou. — Fogo!

O bicho imediatamente encheu o peito e soprou uma labareda em direção ao céu, me assustando um pouco.

— Legal, não é?
— Mais ou menos. Fogo é perigoso.
— Fogo é útil! — Pablo respondeu enquanto acariciava o dragão. — Tente fazer você também. — Ambos nos afastamos para garantir que não acabaríamos chamuscados.

— Magrelo — falei sem confiança na voz —, fogo!

E ele me obedeceu, soprando uma labareda ainda mais forte.

— Olha só! — Pablo exclamou. — Quando você precisar de umas boas labaredas, já sabe onde encontrar.
— Não sei se precisarei disso um dia.
— Nunca se sabe. Absolutamente nada é inútil.
Talvez por causa da sua condição física, Magrelo se cansava rápido. Logo se deitou e, em menos de três minutos, estava dormindo.
Pablo deitou na grama olhando para o céu, como gostava de fazer, e eu o acompanhei apoiando minha cabeça em seu peito, de olhos fechados. Então começamos a nos beijar, e as mãos dele voltaram a se inquietar, cada vez mais ousadas, cada vez melhores. Ele tirou minha camisa, e eu permiti. Tirou a dele, e eu permiti. Parecia certo — eu o amava, e aquela poderia ser a hora de acontecer. O que me impedia? Eu queria e ele também. Estava segura e feliz.
Mas nunca havia contado a Pablo sobre isso.
Essa não seria uma boa hora para contar? Claro que não. Estávamos prestes a fazer! Ele sentiria alguma diferença? Quando sua boca dançou sobre o meu corpo, senti coisas que nunca havia sentido antes, o que me causava estranheza.
Pablo já estava em cima de mim, ágil e seguro.
Senti dor.
— Pare!
— O que foi? — Pablo perguntou ofegante, me olhando com uma expressão assustada. — Fiz algo errado?
— Não. Não. É que... — Eu estava tão envergonhada que sentia vontade de afundar minha cara na grama. Senti o sangue subir, o que deve ter corado minhas bochechas. — Eu... eu queria que fosse... perfeito, entende? Só isso.
Ele obviamente entendeu o que estava acontecendo e me deu um sorriso de canto de boca, tranquilizando-me.
— É isso que você terá, amor. Vamos aguardar.

— Eu me sinto boba.

— Não se sinta. Eu te amo — ele disse, de repente, como uma picada de abelha.

— O quê? — Atordoada pela picada.

— É isso que você ouviu. Eu te amo e não vou retirar isso. — Aproximou ainda mais o rosto do meu para continuar a falar. — Aliás, fui pesquisar no dicionário o significado da palavra "amor" para poder tratar esse assunto com mais propriedade. — Típico de Pablo. — E sabe o que diz? Que o conceito mais popular de amor envolve, de modo geral, a formação de um vínculo emocional com alguém, que seja capaz de receber o comportamento amoroso e enviar os estímulos sensoriais e psicológicos necessários para a sua manutenção e motivação. Não posso brigar contra as definições técnicas, Mel. Eu realmente amo você. E eu sei que nós somos apenas duas gotas em um oceano tão grande que ainda nem sabemos ao certo da onde vem e para onde vai, e agora não tenho a menor curiosidade quanto a isso, porque, para mim, você é a gota mais importante do mundo, e tudo que preciso saber sobre a vida, o cosmos e tudo mais se encontra aqui, bem à minha frente.

Só consegui me jogar em seus braços, feliz por ter encontrado aquilo que nunca procurei, mas sempre quis.

No caminho de volta para casa, todas as coisas continuavam as mesmas. As ruas continuavam as mesmas, as casas continuavam as mesmas, e as pessoas continuavam as mesmas... Ainda assim, não conseguia afastar de mim a sensação de que tudo estava diferente porque ele disse que me ama, que eu sou a gota mais importante do oceano, que estava mais interessado em entender a mim do que a todos os outros mistérios da vida, do cosmos e de tudo mais.

— Pablo disse que me ama — contei para a avó Marga.
— E precisava ter dito? — perguntou.
— Não... mas eu gostei tanto de ouvir!

Certa manhã, Natasha entrou em casa com um sorriso de orelha a orelha e um jornal nas mãos.
— Você vai querer ver isto! — disse animada. — Você. Vai. Querer. Ver. Isto.
Meu café da manhã deu voltas no estômago quando li a manchete.

"OS GÊNIOS TAMBÉM AMAM
Tudo sobre a nova namorada de Pablo Eax"

Eu deveria ter imaginado que conviver com Pablo atrairia uma parcela dos holofotes para mim. As pessoas querem saber tudo sobre a vida dele e, agora que sou parte de sua rotina, querem saber um pouco sobre mim também. Não tinha certeza se queria ler o resto da matéria. Sempre fui do tipo que se esconde no meio de uma infinidade de irmãs. E se dissessem coisas desagradáveis sobre mim? E se inventassem mentiras? Ou pior: se dissessem verdades que eu não gostaria de saber?
— Leia! — Natasha ordenou. — Leia!
Algo na excitação de sua voz (e na minha curiosidade masoquista) me forçou a ler.
"Ao chegar a Amberlin, o jovem inventor Pablo Eax, membro da tradicional família Eax, foi categórico em dizer que estava demasiadamente absorto em seu trabalho para pensar em relacionamentos. Talvez isso não seja completamente verdade, entretanto.
A movimentação de empregados na casa da família Eax é grande. Só os funcionários encarregados de cuidar dos animais e do jardim somam quinze. Por isso, uma

pessoa pode visitar a mansão diariamente e, ainda assim, passar desapercebida.

Mas não para sempre.

No mesmo dia em que o rei exibia suas novas máquinas de guerra Porco-Espinho por Amberlin, Pablo foi visto caminhando acompanhado de uma jovem com idade próxima da sua.

Ao pesquisarmos mais a fundo, descobrimos que a tal garota vive de fato um romance discreto com o homem do momento — furando uma fila de pretendentes.

Poucas palavras a descreveriam melhor do que 'comum'. Tem uma aparência comum, frequenta uma escola comum e vive com uma família comum. Seu único passatempo é estudar magia no mosteiro de Amberlin, onde aprendeu a conjurar flores.

Isso não parece incomodar Pablo, que, inclusive, já fez a ela uma declaração de amor. Recentemente, nossas fontes ouviram o inventor falando para a namorada que, por ela, nadaria o oceano inteiro, pois a ama exatamente nesse tamanho. Parece que, além de inventor, Pablo também leva jeito para poeta.

Agora apenas nos resta aquela pergunta que não quer calar: a nossa menina misteriosa estaria disposta a dividir o coração do seu amado com certa máquina voadora?"

Tudo aquilo era muito surreal. Chamaram os meus estudos de magia de "passatempo". Usaram o adjetivo "comum" para descrever tudo na minha vida, exceto Pablo, como se ele fosse a única coisa interessante.

— É verdade o que diz a matéria? — perguntou Natasha sorrindo. — Ele disse que a amava do tamanho do oceano?

Não, ele não disse isso. Ele disse que eu sou apenas uma gota no mar, a mais importante gota, e tudo que ele precisava saber sobre o mundo se encontrava em minha finitude — o que não era nada parecido com a forçada e poeticamente óbvia afirmação do jornal.

E, quase como um alfinetada, logo abaixo da matéria em que fui citada estava a foto daquela que devia ser a mulher mais linda do planeta: Isabel.

"PRINCESA ISABEL VOLTA AO REINO DE AMBERLIN
Depois de heroica jornada, princesa é acolhida por nosso reino

Mesmo com a pouca idade, Princesa Isabel já mostrou que fará parte dos livros de história. O seu primeiro decreto estabeleceu a distribuição de riquezas com os menos afortunados, e, com uma assinatura, ela acabou de vez com a fome em seu reino.

Porém, com medo das represálias políticas em sua terra natal, a princesa confirmou sua mudança para o pacífico Reino de Amberlin. Não é possível mensurar a felicidade que a família Eax deve estar sentindo ao receber de volta a garota que eles criaram como se fosse uma filha.

É quase injusto comparar a sua beleza com a de qualquer outra mulher do reino, mas...."

A reportagem continuava por linhas a fio, sem prender a minha atenção — que se fixou na imagem da princesa em questão. Cabelos muito escuros e sedosos, pele tão clara que parecia jamais ter sido tocada por qualquer raio de sol, grandes olhos castanhos que passavam firmeza, além de traços delicados. Eu me envergonho de, inconscientemente, ter gastado minutos de vida procurando um defeito na mulher da foto. Minutos em vão: ela era fisicamente perfeita... E isso me dava nos nervos.

DEZ

Os criados de Pablo já me conheciam e me deixavam entrar tranquilamente na mansão. Muitas vezes, eles é que pareciam os donos da casa: realizavam suas tarefas sem uniforme e recebiam visitas a qualquer hora. Sem eles, aquele lugar seria certamente ainda mais silencioso.

Como era cedo, fui diretamente ao quarto de Pablo, parando ocasionalmente para admirar um dos muitos quadros que enfeitavam os longos corredores. Secretamente, torcia para que ele estivesse dormindo a fim de apreciá-lo no sono profundo antes de despertá-lo.

Quando abri a porta do seu quarto, no entanto, não o encontrei. Em seu lugar, sentada na beirada da cama, estava uma garota com um lindo e longo vestido. Cabelos muito escuros e pele tão clara que parecia jamais ter sido tocada por qualquer raio de sol...

— Olá! — Princesa Isabel sorriu ao me ver.

— Oi... — Eu fiquei atônita. A mão que segurava a maçaneta começou a formigar, e senti meu coração palpitar acelerado.

— Poderia me trazer um copo de água, por favor? — ela disse apontando para a cômoda ao lado da porta, cuja superfície apoiava uma garrafa cheia de água e um copo.

O tom de sua voz transbordava gentileza, mas algo no pedido parecia muito errado. Estaria ela pensando que eu era uma das criadas? Olhei para as minhas roupas. Em comparação ao vestido da princesa, eu realmente poderia me passar por criada. As letras do jornal não paravam de passar pela minha cabeça: "É quase injusto comparar a sua beleza com a de qualquer outra mulher do reino".

Não faço a mínima ideia do porquê de ter tomado a atitude que tomei a seguir. Fui até a cômoda, peguei a garrafa e lentamente despejei a água no copo de vidro. Cruzei o quarto e o entreguei à princesa.

— Muito obrigada! — ela agradeceu com um sorriso educado e gentil.

Eu não respondi.

Ela bebeu um gole tão curto que a sua boca já teria absorvido o líquido antes de chegar à garganta. Sorveu outro gole quase sem abrir a boca, como se a água tivesse a obrigação de se esforçar ao máximo para passar por aquele biquinho.

— Sente-se! — ela disse sem perder o sorriso. — Não precisa ficar em pé.

Só então percebi que eu estava literalmente de pé e em silêncio, observando-a beber água. Sentei-me ao lado dela na cama, ainda sem pensar direito, e olhando para o chão.

— Você está aqui há muito tempo?

O que eu deveria responder?

— Sim.

Isabel se pôs a falar. Simplesmente falar. Narrou a sua viagem pelo oceano, falou sobre seu antigo reino, contou piadas — e parecia não ligar para o fato de eu não rir delas. Eu apenas balançava a cabeça em determinados momentos, me perguntando onde Pablo estaria.

"É quase injusto comparar a sua beleza com a de qualquer outra mulher do reino; é quase injusto comparar a sua beleza com a de qualquer outra mulher do reino; é quase injusto comparar a sua beleza com a de qualquer outra mulher do reino; é quase injusto comparar a sua beleza com a de qualquer outra mulher do reino; é quase injusto comparar a sua be..."

— Conheço Pablo desde que ele nasceu. — Essa última frase despertou-me a atenção. Isabel iria falar de Pablo, finalmente iria falar de Pablo. — Eu tinha dois anos. Praticamente crescemos grudados. Ambos estudávamos em casa, então não tínhamos muitos amigos, sabe? Éramos apenas eu e ele. Meu melhor amigo, por assim dizer. Fizemos nossa primeira casa na árvore juntos... E primeiras outras coisas também. — Pousou a mão na boca como se contasse um segredo e deu uma risada gostosa. Novamente não se importou com o meu silêncio. — Ele é ótima pessoa. Talvez o último homem bom de verdade no mundo. O único grande problema dele é essa máquina voadora. — Eu sentia como se nem ao menos respirasse. Aparentava ser muito mais uma estátua ao lado da princesa do que um ser vivo. — Um dia, ele simplesmente esqueceu o meu aniversário. Quando fui à casa dele para lhe cobrar isso, soube que Pablo estava sem dormir havia sete dias, trabalhando na máquina de forma tão absorta que não fazia a menor ideia do que estava acontecendo no mundo. Tive de perdoá-lo. É um sonho. Um sonho que ele tem, entende? E é admirável, torna-o especial. Parte da alma dele está voltada para esse objetivo. Como irmã de criação, eu quase sinto inveja dessa máquina. Ele nunca amará nada da mesma forma que ama esse sonho. — Olhou para mim antes de completar: — Nada nem ninguém.

— Bella! — Pablo exclamou assim que entrou no quarto, abrindo os braços e um enorme sorriso para Isabel, como se ela fosse a única pessoa presente no cômodo. — Quanto tempo!

— Pablo! — Isabel também aparentou muita felicidade. Pulou da cama e se jogou em seus braços. O abraço apertado pareceu durar uma eternidade. — Estou tão feliz em vê-lo! — ela disse segurando o rosto de Pablo entre as mãos.

— Eu também estou muito feliz em vê-la! — ele respondeu sorrindo. Em seguida, lançou o olhar em minha direção, finalmente percebendo a minha presença, que atrapalhava aquele emocionante reencontro. — Vejo que você já conheceu a minha namorada.

Isabel é uma princesa. Princesas são treinadas. Princesas não demonstram desconcerto nem insegurança, muito menos dão gafes. Porém eu pude notar um toque de confusão em seu olhar por um breve segundo. Ela pode pensar que eu não notei, mas isso não é verdade.

— Sim, acabamos de nos conhecer — disse sorrindo, por fim. — Mas ela ainda não me disse o seu nome.

— Eu me chamo Melissa — respondi.

— Prazer, Melissa.

— O prazer é todo meu.

Pablo finalmente a soltou e veio ao meu encontro. Beijou-me na boca e passou a mão em minha cintura.

— Fico feliz que já tenham se conhecido — prosseguiu ele sorridente. — Tenho certeza de que serão grandes amigas.

— Certamente que sim — Isabel respondeu. — A viagem foi longa, estou exausta. —Passava as mãos no pescoço para sinalizar uma queixa de dor. — Vou aproveitar para dormir um pouco agora. Depois nós conversamos. Estarei no meu quarto, tudo bem?

Ela está morando na casa de Pablo? Ótimo!

— Tudo bem, Bella. — Adorei o apelido, a propósito. — Nós nos falamos mais tarde. — Um último abraço foi dado antes da despedida.

Saímos para caminhar no jardim como de hábito. Pode ser apenas a minha imaginação, mas Pablo parecia muito mais feliz nesse dia em especial. Contando piadas, mais falante e sorridente que de costume. Fomos visitar Magrelo, que dormia. Sentamos na grama. Tudo parecia rotineiro.

— Então Isabel vai morar com vocês? — perguntei, não conseguindo me conter. Eu me odiei por isso.

— Sim, como nos velhos tempos.

— Você me disse que cresceram juntos. — Eu não fazia a menor ideia de por que queria manter o assunto focado nela. Era uma espécie de curiosidade mórbida.

— Sim, crescemos — ele continuou. — Na verdade, Isabel é como uma irmã para mim. Sei, entretanto, que ela está aqui com segundas intenções.

— O quê?

— Sim. Eu até acredito nessa história de fugir do seu reino por medo de represália política, assim como também acredito que não escolheu Amberlin por acaso. Isabel está aqui para me convencer a participar da guerra. Todas as principais famílias estão entrando com recursos, e ela acredita piamente que esse é o certo a fazer.

— Por que alguém como ela acreditaria na guerra?

— É complicado. Nesse meio, tudo é muito complicado.

— O que seu pai pensa sobre isso?

— Tanto ele quanto minha mãe não ligam mais para essas coisas. Tudo fica a cargo de mim agora.

— Você a amou?

— O quê?

Não era de espantar que ele não houvesse entendido: mudei de assunto tão bruscamente que só estando dentro da minha mente para compreender. Eu não queria perguntar, mas perguntei — temerosa da resposta.

Ele riu e balançou a cabeça.

— Não, Mel, é claro que não. Melhor dizendo... sim. Como um membro da família, o que ela efetivamente é, na verdade. Mas como amor de namorado? Homem e mulher? Nunca. — Fechei a cara e olhei para o chão. Ele pegou o meu queixo e ergueu minha cabeça para que eu olhasse em sua direção. — Imagino o que ela tenha falado para você... Primeiro, quero que saiba que aquilo foi há muito tempo. Segundo, nunca foi paixão, nunca foi nem namoro. Éramos dois jovens um tanto quanto isolados do mundo, crescendo juntos. A curiosidade entre nossos corpos foi natural. Tudo foi muito natural. Você é a única que já amei e vou amar. Acredite em mim.

— Claro — falei.

Ele me beijou. É claro que ele me amava, pensei. Eu estava sendo boba. Não desperdiçaria energia comentando o que havia lido no jornal. Não havia com o que me preocupar.

ONZE

A capa do jornal do dia estampava a foto de Pablo com Isabel. Não fui citada na matéria, porém citaram a relação dos dois como a de "apenas amigos".

Eu não sei por que ainda lia aqueles lixos jornalísticos, mas, desde que percebi que eles podem, ocasionalmente, falar o que quiserem sobre mim e as pessoas à minha volta, não podia deixar de folhear cada exemplar que se aproximava de mim.

Nos dias que se seguiram, Isabel tornou-se tão presente nas páginas do noticiário quanto Pablo, porém por motivos muito mais banais. Aparentemente, todas as almas vivas do reino estavam interessadas em saber as roupas usadas por ela todo santo dia, mesmo que a maior parte de nós não pudesse comprar peças iguais. Isabel nunca me dirigia a palavra nem olhava diretamente para mim, o que tornava todas as minhas experiências ao seu lado desagradáveis.

Se a princesa tinha até então uma vantagem, é que ela não impunha a própria presença por muito tempo, nos deixando a sós. Mas é claro que isso não demorou muito para mudar.

Naquela tarde, Pablo disse que cozinharia para mim. Seria um prato simples que ele aprendeu em uma de suas viagens. Estava ansioso para que eu provasse. Imaginei que seria algo apenas para nós dois, porém estava enganada.

— Temos uma visita! — Pablo exclamou sorridente assim que cruzei a porta da sala de jantar de sua mansão.

Isabel estava sentada à mesa, usando vestes simples e com os cabelos presos em um coque perfeito.

— Olá... — cumprimentou-me vagamente enquanto dedicava atenção a servir-se de mais um copo de suco.

— Olá... — respondi de volta ao me sentar à frente dela, tentando discretamente ajeitar um pouco os meus cachos rebeldes.

— Vocês vão adorar o bolo de Aseit — Pablo disse, referindo-se ao reino de onde aquela receita viera. — Já estou quase terminando a massa! Vou buscar um petisco para vocês enquanto termino. A cozinha é aqui ao lado. Já volto! — E se retirou.

Isabel e eu ficamos em silêncio durante longos minutos. Não havia mais nada para fazer naquela sala, o que era incômodo.

— Já esteve em Arab? — Isabel perguntou de súbito.

— Não.

— A maioria das mulheres de lá nasce com os cabelos iguais aos seus — comentou enquanto observava os meus cachos com um olhar desinteressado. — Aqui em Amberlin é um pouco mais raro, mas por lá é comum.

Assenti com a cabeça sem saber como levar adiante uma conversa sobre um reino onde nunca estive. Repentinamente, a única informação que eu tinha sobre Arab surgiu.

— Arab é o reino com reservas de betume, certo? Pablo me contou.

— Ele está certo. Arab é, aparentemente, o único reino com fontes desse valioso recurso. Uma pena que estejam cobrando tão caro pelo balde. Nas mãos certas, esse material poderia salvar vidas!

— O povo de Arab não tem as mãos certas? — perguntei.

Isabel sorriu para mim e bebeu mais um gole do suco.

— São questões políticas complicadas, querida. Não quero aborrecê-la com isso. — Em seguida, mudou de assunto. — Você que costura suas vestes?

— Como?

— As suas roupas são muito bonitas. Você que as costura?

Era impossível Isabel considerar as minhas roupas bonitas, pois ninguém achava isso delas. Tratava-se de panos baratos com costura simples.

— Não... eu as compro de um alfaiate.

— Entendo. Pensei que você as fizesse.

Pablo cruzou a porta com o que parecia ser uma bandeja cheia de pães tostados.

— Estes pães são temperados de uma maneira diferente — explicou enquanto os colocava sobre a mesa. — Experimentem. Vocês vão gostar! — E saiu porta afora assobiando uma animada cantiga.

— Eu vi o que os jornais falaram de você — Isabel comentou assim que Pablo saiu da sala. — Eu sei como é chato ter jornais falando sobre a sua vida. Algumas pessoas nunca se acostumam com isso.

— Eu não me importo muito... — respondi.

— Que bom para você! Continue assim. Eles podem ser muito venenosos eventualmente. — Tornou a encarar os meus cachos. — Acho que você deveria ajeitar um pouco o seu cabelo. Quer o meu espelho emprestado? Devo ter um pente no meu quarto também.

Pablo entrou segurando o bolo, sorridente.

— Quero deixar a minha modéstia de lado para assumir

que este bolo é minha obra-prima. — Serviu um pedaço primeiro a mim, em seguida a Isabel e, por último, colocou uma fatia no próprio prato. — Vocês nem tocaram os pães!

Dali em diante, a conversa foi um tanto estranha: Isabel insistia em entrar em assuntos dos quais eu não sabia absolutamente nada, conversando com Pablo como se eu não estivesse presente, sem dirigir a palavra a mim. Quando eu me pronunciava, a princesa apenas se servia de uma garfada de bolo e olhava para o próprio prato até eu terminar de falar. Qualquer piada de Pablo (mesmo as ruins) era recebida com risadas entusiasmadas por parte da princesa, que exibia duas fileiras de dentes brancos e alinhados.

O bolo era, de fato, delicioso.

— Esplêndido! — exclamou Isabel ao terminar a última garfada do seu pedaço. — Você está de parabéns!

Pablo sorriu agradecido.

— E o que você achou, Melissa? — ele me perguntou.

— Eu também adorei. Você é um excelente cozinheiro!

— Ótimo! Assim vocês estão me encorajando a cozinhar mais vezes. Espero que tenham gostado muito do bolo pois é a única coisa que sei fazer.

Nós três rimos. Isabel mais do que os demais, claro.

— Bom, espero não ser inconveniente — Isabel disse enquanto limpava os lábios com o guardanapo —, mas esta seria uma boa hora para conversarmos sobre os nossos assuntos pendentes?

— Não, Isabel — Pablo respondeu sério. — Acredito que nunca haverá uma boa hora para isso.

— Eu entendo, Pablo — ela insistiu —, contudo você também precisa entender que isso é importante!

— Sobre o que vocês estão falando? — perguntei.

— Algo complicado demais para você, querida — Isabel se dirigiu a mim pela primeira vez desde que Pablo havia entrado na sala. — Não precisa se incomodar com isso...

— Isabel concorda com a invasão de Arab — Pablo a interrompeu. — Quer me convencer a fornecer os recursos da minha família em prol da guerra.

— A guerra ocorrerá de qualquer maneira — a princesa argumentou. — Sem os seus recursos, a única diferença é que ela será mais longa. E isso significa mais sangue derramado, em vez de uma invasão rápida e praticamente limpa.

— É o mesmo argumento de Dimir — observei.

Isabel me encarou. Princesas nunca perdem a compostura, mas disfarçar um olhar de desprezo deve ser uma reação difícil.

— Receio que você não saiba muito sobre o assunto, Melissa — ela disse. — São questões mais complexas do que aquelas a que você está habituada.

— Melissa é uma garota inteligente, Isabel. — Mesmo em minha defesa, Pablo parecia não fazer ideia do que estava acontecendo na sala. Era como se a princesa e eu conversássemos em outra frequência, inapreensível para os ouvidos dele. O clima de tensão não era compartilhado com o rapaz, que estava tranquilo. — Ela está por dentro do assunto.

— Independentemente disso — a princesa continuou —, acho que devemos continuar esta conversa em outro lugar. Melissa pode tirar a mesa enquanto isso. Vamos...

— Não — interrompi.

— Como? — Isabel reagiu.

— Por que eu deveria tirar a mesa se podemos fazer isso todos juntos?

— Desculpe, Melissa. Eu imaginei que você não se importaria por já estar acostumada às tarefas...

— Estou acostumada, sim. — Nem a deixei terminar a frase. — E, se eu me acostumei, você pode também.

Isabel não respondeu: apenas virou-se e andou porta afora, retirando-se da sala de jantar. Ao olhar para trás, encontrei Pablo tirando a mesa, despreocupado, alheio à situação. Ele me encarou confuso ao notar a minha expressão.

— O que aconteceu? — perguntou.

Os dias se seguiram exatamente dessa forma.

Convivi tanto tempo com montes de mulheres que esqueci completamente o quanto os homens podem ser bobos de vez em quando. Isabel claramente não gostava de mim, e isso ficava evidente nas entrelinhas de qualquer gesto ou palavra proferida por ela, sob a aparência de uma forma gentil. Eu fazia questão de mostrar que a recíproca era verdadeira, porém com muito menos sutileza a que a princesa estava acostumada. Pablo, por sua vez, parecia um palhaço bêbado no meio do campo de guerra, do tipo que canta cantigas alegres pisando entre os corpos sem fazer a mínima ideia do que acontece à sua volta.

Com o tempo, nem o palhaço bêbado conseguiu ignorar o clima gélido que pairava entre nós.

— Eu não entendo — ele disse uma vez. — Você gosta de mim. Isabel gosta de mim. Por que vocês duas não podem se gostar? É matemática simples!

Eu permaneci calada. Pablo olhou fundo nos meus olhos.

— Você não pode nem ao menos tentar? — perguntou. — É importante para mim.

— Não vejo o menor esforço da parte dela — retruquei.

— Então hoje à noite converso com Isabel, e vocês duas começam ao mesmo tempo. Que tal?

— Não! Nem pense em falar disso com ela! — ponderei melhor, talvez eu realmente estivesse sendo irracional. —

Tudo bem, posso me esforçar um pouco mais.

— Esplêndido! — Pablo abriu um grande sorriso. — Tudo ficará mais fácil agora.

— Você fica me devendo uma — brinquei.

— Sem problemas — respondeu confiante. — Quando a máquina voadora estiver pronta, levarei você para dar umas voltas.

À medida que fui conhecendo Pablo, percebi a importância daquela máquina em sua vida. Essa teria sido a primeira vez que certo pensamento passou pela minha cabeça. Um pensamento que imagino jamais ter passado pela dele. Nunca tinha visto a máquina alçando voo — nem sequer parecia algo mais importante do que uma porção de cálculos, desenhos e pedaços aleatórios espalhados pelo chão. O que aconteceria se Pablo simplesmente falhasse? O que aconteceria se ele estivesse errado e fosse realmente impossível voar como os pássaros? Pior: e se Pablo simplesmente não fosse inteligente o bastante para tal? O que aconteceria?

— E como anda o progresso da máquina? — perguntei baixinho.

— Bem — respondeu vagamente —, muito bem. Um trabalho sem precedentes leva tempo para ser concluído. Comecei tudo do zero.

— Você tem uma previsão para a conclusão do projeto?

— Não. Como eu disse, essas coisas levam tempo.

— Entendi. E existem outras coisas que você também gostaria de fazer? Como outro tipo de máquina ou...

Pablo me encarou de forma séria.

— Aonde você quer chegar, Melissa?

— A lugar nenhum. Eu só andei pensando nisso...

Diante de olhos estranhos, ele poderia parecer calmo, mas eu o conhecia o suficiente para saber que não.

— Pensando no quê, Melissa?

— Nada. Deixa para lá. Estou falando demais.
— Não, não tem problema. Pode falar. Em que você está pensando?
— Eu só... Eu só me preocupo tanto com você, Pablo. E você fica sonhando com esse dia em que vai voar... Apenas fico preocupada com o seu tombo se sonhar alto demais e se decepcionar depois...
— Você acha que eu vou tombar?
— Não é isso. É que...
— Você acha que eu não sou capaz?
— Talvez não seja. — A frase escapou e não soou como eu queria. — Desculpe, mas talvez não seja capaz. Talvez ninguém seja. Você tem de considerar também essa opção.
— Não, eu não considero essa opção — ele respondeu. Não que Pablo estivesse gritando, mas sua voz ganhou um peso tão forte que me deu vontade de chorar. — Eu estou seguindo o meu objetivo e não peço seus aplausos, nem seu apoio, muito menos sua permissão.

Ele estava muito sério. Eu fiquei repetindo mentalmente: "Não chore, Melissa".

— Estamos entendidos?

Não consegui responder. Se eu abrisse a boca, certamente choraria. Apenas balancei a cabeça rapidamente em sinal afirmativo.

— Ótimo. — Ainda firme. — Vejo você amanhã. — Virou-se e saiu andando na direção oposta sem me dar o tradicional beijo de despedida.

— Aonde você vai? — gritei parada no mesmo lugar enquanto Pablo se afastava.

— Trabalhar! — respondeu sem olhar para trás.

Não o procurei no dia seguinte e nem no dia depois. Ao contrário, prolonguei minhas visitas à avó Marga. Ela parecia um pouco mais debilitada a cada dia. Certa vez, Marga não acordou na primeira vez em que a chamei, causando o maior susto da minha vida, para abrir os olhos logo em seguida.

Nesse dia em especial, percebi que as flores estavam murchando, sinal de que Marga não tinha se levantado para regá-las, como sempre fazia. Conjurei novas flores no lugar, tomando cuidado para que ela não me visse quebrando o nosso acordo.

Fiz sopa e lhe servi. Marga segurava a colher de um jeito estranho e tremia muito, mas conseguia se alimentar.

Ao lado da cama, era possível apreciar um retrato dela e do meu avô. Não cheguei a conhecê-lo e me peguei imaginando que tipo de história eles teriam vivido.

— Como ele era? — perguntei.

— Quem?

— O meu avô, o seu marido... Como ele era?

Ela encarou o retrato com um ar nostálgico.

— Era deliciosamente humano, como deve ser. Com todos os seus defeitos e qualidades.

Nós duas passamos longos segundos admirando o quadro: eu imaginando aquele homem, e Marga se recordando dele.

— Você o entendia? Quer dizer... Você o entendia por inteiro?

Ela riu.

— Não. Certamente que não. E eu gostava assim! Acredito que, de alguma forma, o amor está ligado ao esforço em tentar entender o outro, e não no sucesso.

Passaram-se dois minutos de silêncio...

— Cada pessoa deveria nascer com um manual de instruções, explicando como lidar com ela — falei.

— Eu odiaria isso. A vida seria terrivelmente correta assim — Marga respondeu. Rimos juntas.

Tendo em mente o que Marga me falou, resolvi procurar Pablo e dizer que sentia muito, que tinha sido uma boba e me esforçaria para compreendê-lo melhor. No entanto, quando cheguei à entrada da mansão, quem me atendeu foi Isabel.

— Oi, Melissa. Não sei se você se importa, mas esta não é uma boa hora para Pablo atendê-la. Ele chegou a um ponto crucial do trabalho com a máquina e pode ser que você o distraia. Desculpe! Você entende, não é?

Respirei fundo. Contei até dez.

— Isabel, se eu fosse um pouco mais sarcástica, forçaria uma risada à sua frente. Como não sou dada a essas coisas, simplesmente vou entrar — E assim o fiz.

Realmente encontrei Pablo trabalhando e com uma aparência não muito normal. A barba estava por fazer, e seu cabelo, despenteado e meio sujo. Sentado no chão, ele apertava o maior parafuso que já tinha visto na vida. Não reparou quando entrei, como acontece normalmente quando o encontro focado.

— Pablo! — eu o chamei.

Ele levou um susto e demorou alguns segundos para me encontrar ali.

— Ah! Oi, Melissa. Tudo bem? — disse como se nada tivesse acontecido. O hálito denotava alto consumo de chá de Lesde.

— Tudo — respondi me sentando ao seu lado. Não gostei do cheiro que senti. — Eu acho... Eu queria pedir desculpas. Você quer conversar sobre o que aconteceu?

— Sim. Eu quero, sim. — Pablo continuava apertando o parafuso. Era inútil conversar com ele naquele estado.

— Eu terei de viajar.

— O quê? Quando?

— Daqui a três dias. O aeroclube do Reino de Sirap me convidou para participar do desafio anual que promove.

Aproveitarei a viagem para trocar alguns conhecimentos com eles...

— Pablo, você poderia parar de trabalhar pelo menos enquanto fala comigo, por favor?

Ele simplesmente largou a ferramenta, que caiu no chão, e se virou para mim.

— Desculpe, Melissa. Minha atenção é toda sua agora.

— Não. Eu que gostaria de pedir desculpas.

— Eu me exaltei.

— E com razão. Este é o sonho da sua vida, e eu fui uma... Desculpe-me, Pablo. Só pensei nisso nos últimos dias.

Pablo mostrou confusão no olhar.

— Como assim, "nos últimos dias"?

— Nos últimos dois dias, desde que brigamos, e...

— Droga!

— O que foi?

Pablo abaixou a cabeça e esfregou o rosto com força. Parecia exausto de um minuto para o outro.

— Eu preciso comer algo, tomar um banho, dormir algumas horas. Passei os últimos dois dias trabalhando aqui dentro e nem percebi. Ah, claro! Isso significa que meu barco para Sirap também parte nesta noite.

Um pouco assustador talvez...

— Tudo bem, Pablo. Só gostaria de saber se está tudo bem entre nós antes de você partir.

— Claro, Melissa. Claro que está. — Beijou meu rosto antes de se levantar. Não tive certeza se ele estava sendo sincero.

Não tornei a encontrar Isabel no caminho em direção ao portão.

DOZE ᴠᴠᴠᴠᴠᴠᴠᴠᴠᴠᴠᴠ

O lado bom de namorar alguém como Pablo é que sua fama torna possível receber pequenas cápsulas de notícias a seu respeito mesmo de longe. Acompanhei toda a jornada de Pablo a Sirap pelo *Jornal de Amberlin*, que informava que o aeroclube daquele reino era "um famoso grupo de entusiastas do voo". Esses entusiastas se encontravam e discutiam sobre balões, dirigíveis e uma possível máquina voadora dotada de velocidade e precisão. Descobri que Pablo não era o único trabalhando nisso — apenas era (de longe) o estudioso mais perto de alcançar tal êxito, segundo o que se dizia.

Ao lado do clube existe uma grande torre, que ostenta há séculos uma chama acesa: a Torre da Luz. O monumento é o mais conhecido de Sirap e um dos mais emblemáticos de toda a Terra. Já foi inclusive pintado por inúmeros artistas (aposto que a mãe de Pablo também fez um quadro dele). Por todos esse predicados, a Torre da Luz foi escolhida para ser o centro do desafio: o homem que conseguisse usar o seu próprio dirigível (veículo parecido com um balão, só que com controle de voo) para contornar a Torre em um período de tempo predeterminado receberia o equivalente a 500 mil unidades amberlinas, a nossa moeda.

O dirigível não era nem de longe a máquina voadora com a qual tanto sonhavam, mas era o mais próximo que tinham.

Pablo não precisava do dinheiro — era o desafio que o intrigava. Não foi nenhuma surpresa quando, dias depois, descobri pelos jornais que ele havia realizado o feito com maestria, deixando todos aqueles velhos sonhadores de queixo caído.

O que, de fato, surpreendeu foi o quanto Pablo ficou popular em Sirap. De um dia para o outro, passaram a ser noticiadas coisas como brinquedos artesanais inspirados em Pablo, chocolates que estampavam seu rosto, postais com a máquina voadora dando uma volta na Torre da Luz, apliques para chapéus de senhoras com as asas do aparelho... Os sirapianos passaram até a usar o relógio no pulso, emulando a extravagância do meu namorado.

"Não se fala, não se vê, não se come, não se sonha outra coisa que não seja o feito que ele executou", dizia o trecho de uma crônica escrita por um jovem estudante e replicada no jornal. E tudo com o que eu me importava era que finalmente ele voltaria e mataríamos juntos a saudade.

Logo na folha seguinte do jornal havia um texto de cinquenta linhas para explicar que Pablo ia doar cada centavo conquistado no desafio para os mais pobres, um notável ato de bondade. Por causa disso, ele seria recebido em Amberlin com um gigantesco baile de gala, com direito à reunião de toda a alta burguesia dançando ao som das bandas mais conceituadas do mundo.

Não conseguia imaginar ambiente mais inóspito para reencontrar Pablo.

Na noite anterior à volta dele, não consegui dormir. Um mensageiro apareceu à porta de casa me trazendo um vestido branco e com detalhes dourados. Fora um presente de Pablo para que eu usasse em seu retorno, que seria também o evento social do ano. Passei a noite imaginando que tipo de pessoas estaria presente em uma recepção na qual era necessário usar um vestido como aquele. Eu me perguntei se elas perceberiam que eu não era uma delas ou se ririam de mim. Imaginei a minha silhueta deslocada no meio do salão enquanto Pablo atendia aos inúmeros cumprimentos por ser alguém tão especial e Isabel circulava vitoriosa com suas amigas.

O vestido estava pendurado em um cabide do lado de fora do meu armário, encarando-me ameaçadoramente como um fantasma.

— Veja se não me apronta nada amanhã... — resmunguei olhando para a delicada peça, que nem se deu o trabalho de me responder.

Uma diligência veio me buscar no dia seguinte. Tudo na cidade estava voltado para Pablo agora.

Quando bateram à porta, eu já estava arrumada. A fim de conferir um toque pessoal à produção, conjurei uma grinalda de flores para mim, que me dava um pouco mais de segurança estética. Fiz também um botão de rosa branca para colocar na vestimenta de Pablo.

O evento parecia uma versão em movimento das fotos da coluna social do *Jornal de Amberlin*. Certamente minhas irmãs reconheceriam a maior parte dos presentes. A festa acontecia em um espaço da mansão da família Eax no qual eu nunca havia entrado antes: possuía um teto alto e ostentava um lustre do tamanho de uma pequena casa.

Pablo me recebeu no instante em que atravessei as portas, presenteando-me com um acalorado beijo na frente de todos. Dei o botão de rosa para ele, que prontamente começou a usá-la no bolso direito de seu traje formal.

— Uma das flores que você rega com tanto carinho todos os dias, suponho — disse ele de um jeito que deu a entender que sabia se tratar de magia feita fora do monastério, uma pequena burla na lei que não faria mal a ninguém.

Ele andou de mãos dadas comigo na maior parte do tempo, apresentando-me a todos como sua namorada. As pessoas levantavam as sobrancelhas ou davam risadinhas.

Depois eu me dei conta de que os convivas estavam me vendo como mais uma extravagância de Pablo. Mas isso não ia me abalar — fui em frente.

Achei curioso o fato de a maioria dos homens ostentar grossos bigodes.

— Foi incrível! Foi fantástico! — Pablo me contava já em seu tradicional tom de voz animado, bem diferente do jeito que o vi da última vez. — Eles ficaram tão impressionados com o meu dirigível que se esqueceram de cronometrar o tempo da prova!

Ele quase esbarrou em um criado por gesticular e andar enquanto olhava para mim.

— Eles não queriam me dar o prêmio por causa do erro deles! A população simplesmente se REVOLTOU contra o clube. Todos clamavam por justiça. Consegue imaginar todas essas pessoas interessadas em um aeroclube? Elas estavam! A comissão foi obrigada a ceder à pressão popular. — E deu risada.

— Eu vi o seu rosto em uma barra de chocolate — disse me referindo à imagem publicada no jornal.

— Ah, sim! Isso também aconteceu. Eu trouxe uma tonelada de presentes para você, mas nenhum com o meu rosto estampado, pode ficar tranquila.

— Que pena!

Rimos juntos. Ele me estendeu uma bolsa cheia de lembranças e bugigangas turísticas bregas (Pablo era um ás nos céus, mas seu gosto para decoração era péssimo). Disfarcei da melhor maneira que pude, com "ai, que lindo", "amei" e "não precisava" (não precisava de verdade, mas deixa para lá — eu só queria Pablo de volta, isso que importava).

— Precisarei sumir por alguns minutos para conversar com aqueles cavalheiros. Você sobrevive sem mim?

— Posso tentar.

— Ótimo. Eu não posso garantir o mesmo. Eles são conhecidos mundialmente por matarem as pessoas de tédio por onde quer que passam.

— Confio em você.

Ficar sozinha no salão foi tão assustador como pensei que seria. Eu usava um vestido tão bonito quanto o de qualquer outra convidada, porém, mesmo assim, por algum motivo eu não me sentia arrumada o suficiente. Será que as pessoas estranhavam minha grinalda? Conferi o meu cabelo pelo menos quatro vezes, e a grinalda, oito. Não havia nada de errado comigo. Ou havia e eu não sabia o quê.

Por sorte, os criados me levaram a uma mesa onde eu poderia ficar parcialmente invisível até Pablo voltar. Por azar, a mesma mesa foi ocupada por duas senhoras com grandes chapéus, que se ocupavam em conversar entre si, sem nem ao menos olhar para mim. Fiquei com o olhar perdido, pensando longe. Não percebi quando uma pessoa da minha faixa etária resolveu sentar-se ao meu lado.

Isabel. Usava um vestido agressivamente elegante e uma tiara que deveria custar o preço da casa da minha família.

— Aproveitando a festa? Que lindas flores na cabeça!

— Sim, obrigada — respondi de forma seca.

— Eu só vim confirmar se você está bem — disse enquanto ajeitava o próprio vestido. — Eu sei que na sua casa vocês usam apenas um tipo de garfo, e, daqui a pouco, será servido o jantar a ser degustado com dezessete talheres diferentes. Você precisará de ajuda?

— Não, obrigada.

— Então você sabe usar os talheres? — perguntou em um tom educado, disfarçando sua ironia venenosa.

Olhei nos olhos de Isabel o mais profundamente que consegui.

— Apenas me conte uma coisa: por que você não gosta de mim?

Isabel deixou o sorriso de lado na mesma velocidade que uma pessoa tira uma máscara do rosto. Até o tom da sua voz era diferente quando proferiu...

— Eu acho que você atrapalha Pablo.

— Como assim?

— Ele está a um passo de realizar o próprio sonho. E tudo que faz é pensar em você.

— Isso não é verdade.

— Quando vocês brigaram, ele produziu da melhor forma!

— Sem comer! Sem dormir! Tomando litros de chá de Lesde! Ele agiu como um louco, colocando a própria saúde em risco. E você — apontei para ela, disposta a entrar na discussão de cabeça erguida — permitiu que isso acontecesse! Não fez menção de ajudá-lo!

— Sacrifícios devem ser feitos, e ele fica feliz em fazê-los. Você chama de loucura porque nunca irá entendê-lo de verdade.

— Eu não preciso ouvir isso. — Levantei da cadeira e andei para o lado oposto da mesa, erguendo o vestido para não pisar na barra enquanto caminhava apressada. Isabel levantou-se também e me seguiu pelo salão.

— Você sabe que eu estou certa, não é? — disse logo atrás de mim, de forma que eu pudesse ouvir.

Não respondi e tentei apenas continuar andando até me ver livre dela.

— Vou contar um segredo para você... Isso que você está sentindo nunca passará.

Eu parei imediatamente.

— Isso o quê?

— Isso que você está sentindo nunca passará. Você sempre sentirá que não pertence a este lugar e nunca estará vestida adequadamente, não importa que roupa use. Nunca passará porque a formação da sua identidade aconteceu em meio à plebe, algo impossível de mudar. Nunca passará a sensação de que você e Pablo jamais serão completamente iguais. Fora o fato de você ser uma bruxa, o que todo mundo sempre estranhará.

Tem raiva que não cabe em você e vaza pelas mãos involuntariamente. Foi assim que rapidamente proferi os gestos mágicos que tanto treinei no mosteiro, e um cipó apareceu amarrando as pernas da princesa. Um leve empurrão fez Isabel estatelar no meio do baile. Todos pararam, e o silêncio tomou conta do ambiente: dezenas de olhos estavam voltadas para mim, a plebeia que agrediu a fabulosa Princesa Isabel. Em minutos, eles se dariam conta de que eu tinha usado magia. Poderia ser presa.

Saí do salão em disparada em meio aos cochichos. Já estava correndo pelo jardim quando ouvi Pablo.

— Mel, pare!

Parei e olhei para trás: Pablo se aproximava. No peito ele trazia uma medalha de honra ao mérito, feita de ouro maciço, concedida pelo rei.

— Pablo... — Tirei os sapatos idiotas, que só machucavam os meus pés. — Está tudo errado.

Não consegui me conter e deixei as lágrimas escorrerem.

— O quê? Como assim? Não tem nada errado. Eu vou conversar com Isabel.

— Não é isso... É que... TUDO ISSO! — Apontei para a mansão, onde a alta sociedade o aguardava. — Eu não faço parte de tudo isso.

— Escute: você não precisa fazer parte de tudo isso.

— Ah, claro! E você vai mudar a sua vida por mim?

— Eu não ligo para essas pessoas! Só aceitei esse baile por causa do aeroclube. Eu não me importo com elas. Só quero voar e...

— É só voar que importa para você?

Pablo levou longos segundos para perceber o erro na própria frase. Ele se aproximou de mim e tentou segurar minha mão, porém eu não deixei.

— É claro que não! Não foi isso que eu quis dizer. Mas...

Isabel apareceu logo atrás dele, sorrindo como se nada tivesse acontecido.

— Pablo! — chamou. — Termine rápido o que está fazendo porque o pessoal está aguardando você.

— Cale a boca! — Pablo gritou para Isabel. — CALE A BOCA!

Quando olhou de volta para mim, só encontrou as minhas lágrimas.

— Você deveria mesmo ir com ela... Adeus, Pablo!

Corri rápido o suficiente para não ouvir o que Isabel tinha a dizer.

TREZE

Leila é minha irmã mais nova, com nove anos de idade. Foi ela quem atendeu a porta no dia seguinte quando alguém bateu. Do meu quarto era possível ouvir tudo.

— Oi, Pablo! — Leila cumprimentou com sua voz fina.

— Oi, Leila! — Nunca entendi como Pablo decorou o nome de todas as minhas irmãs. — Você poderia chamar Melissa, por favor?

— Está bem. Espere.

Ouvi os passos da pequena subindo as escadas e, finalmente, o som da porta do meu quarto abrindo.

— Mel, Pablo está chamando você.

— Diga para ele que eu não estou.

— Está bem.

Passos descendo as escadas.

— Melissa disse que não está.

Assim não, Leila...

— Você poderia dizer para ela que é muito importante?

— Espere aí.

Subiu de novo.

— Ele disse que é muito importante.

— Diga para ele que não estou e que ele não ouse me perturbar novamente!

Depois de quinze dias tentando, Pablo parou de me importunar.

CATORZE

Os dias sem ele eram chatos. Pelo menos podia focar mais nos treinos de magia (as aulas do colégio eram irritantes já há algum tempo, pois eu era constantemente cercada por pessoas interessadas em Pablo, que parou de frequentar as aulas).

Também voltei a visitar Marga com mais frequência, sempre evitando tocar no assunto. Na última vez em que fiz isso, fui convencida a me desculpar com Pablo — não queria correr esse risco novamente.

Outra forma eficaz de evitar lembranças é não ler o jornal. Inevitavelmente Pablo apareceria, então simplesmente não olhava para aquelas folhas quando o *Diário de Amberlin* chegava em casa. Também passei a evitar conversas com os colegas da escola: eles morreriam engasgados com a própria saliva se passassem mais de um dia sem comentar absolutamente nada sobre ele.

Os dias passavam de forma monótona, muitas vezes em um piscar de olhos.

Sentia falta de Magrelo e intimamente me perguntava se existiria uma maneira de visitar o dragão-anão sem ser necessário contato com Pablo. Não encontrei nenhuma.

Minha família não perguntou sobre ele, muito menos entrou no quarto enquanto eu chorava, respeitando a minha privacidade de forma que uma mulher com sete irmãs nunca pensou que fosse possível.

Dias se passaram...

Semanas...

QUINZE

Ainda era madrugada quando comecei a ouvir gritos do lado de fora de casa. Acordei assustada. A primeira coisa que passou pela minha mente era que poderíamos estar sofrendo um ataque. Logo percebi que não se tratava de gritos desesperados, e sim de gritos comemorativos, como os dados no Ano-Novo ou em um aniversário. Como tanta gente poderia estar acordada assim cedo?

Desci as escadas e encontrei toda a minha família reunida, ainda de pijama, parecendo igualmente excitada.

— O que aconteceu? — perguntei.

— Você precisa ver isto... — Natasha se aproximou de mim sorridente, pegou-me pelas mãos e me conduziu até outro cômodo, onde pudemos ficar a sós.

— O que está acontecendo? — perguntei novamente.

— Ele conseguiu! — dizendo isso, Natasha jogou o *Diário de Amberlin* sobre a mesa, onde letras garrafais estampavam a primeira página:

"O DIA EM QUE O HOMEM TORNOU-SE MAIS LEVE QUE O AR

O primeiro voo de Pablo Eax"

Pelos deuses...

Ele conseguiu!

Todas as páginas do jornal eram dedicadas a Pablo e sobre como a sua façanha iria mudar o mundo. Projeções davam conta de transporte mais rápido entre reinos e envio de mercadorias, que levavam dias em um navio, em questão de horas. Nesse ponto, a máquina até já tinha nome: Ave de Rapina.

Pablo parecia orgulhoso nas fotos, mas não tanto quanto imaginei que ficaria. Sempre visualizei esse momento com ele chorando.

Ele conseguiu!

Pablo fez história.

— E sabe qual é a melhor parte? — Natasha perguntou eufórica.

— Desafiar todas as leis da física e da magia que conhecíamos até então não é a melhor parte?

— Não! Leia isso!

Abriu uma página específica do jornal, em que Pablo respondia uma extensa entrevista.

— A entrevista inteira?... — perguntei já no limite de estar enfadada em ler sobre o mesmo assunto.

— Não. Esta parte aqui, olha:

"D.A.: E quanto ao que você colocou no topo do castelo? Qual seria o motivo para tanta paixão?

Pablo Eax: Só posso dizer que fico muito feliz por ter construído a Ave de Rapina em tempo para isso. Teria sido bem mais difícil sem ela."

— Por que você está me mostrando isto? — perguntei.

— O que ele colocou no topo do castelo?
— Você não viu? Venha comigo! — Pegou minha mão e me puxou de forma que eu consideraria até violenta.

Subimos todas as escadas de casa, inclusive as que ninguém subia há tempos. Eu sabia para onde Natasha estava me levando: do terraço era possível ver o castelo, e de lá veríamos sobre o que o jornal falava.

Tremulando, no topo do castelo estava uma bandeira que não representava nenhum reino, nenhuma ideologia. O que estava ali, em letras garrafais, não se pode colocar no papel, pois seu significado é, no fundo, sempre incompreensível. Em letras gigantes, a enorme bandeira exibia:

"MELISSA: PARA SEMPRE"

Ele pensou que seria fácil.

Pensou que era só usar o dia da sua conquista para realizar um enorme e bobo gesto romântico para mim.

Pensou que era só colocar o nome de uma camponesa acima do maior símbolo do reino, o que nunca acontecera antes e que provavelmente nunca mais acontecerá.

Pensou que era só me lembrar de que era por atitudes como aquela que eu amava o seu jeito de encarar a vida, o seu escrever de olhos fechados e a sua inocência conciliada com uma maturidade sem igual.

Como era bobo aquele rapaz! Ele pensou que seria fácil assim... Pensou que colocar uma bandeira para o mundo inteiro ver, dizendo que sou "para sempre", me faria lembrar de como ele não estava mais tão interessado em descobrir os segredos do universo, do cosmos e de tudo mais, simplesmente porque era eu a gota do oceano mais importante de todas, que hoje sobrepõe a moradia da própria realeza, sem importar o que ele teve de fazer para consegui-lo.

Pablo era bobo — pensou que seria fácil. Por isso ele estava, neste exato momento, parado diante da porta da minha casa, carregando um buquê de flores que eu mesma teria sido capaz de conjurar. Olhando para mim com aquele sorriso bobo de canto de boca, fazendo eu me lembrar de como é sentir-me amada. E a única coisa que ele pede em troca é que eu aceite seus defeitos, que, por acaso, são sua maior qualidade.

Como é bobo este rapaz!

Eu amo este bobo.

Abri a porta ainda de cara fechada — não queria ele pensando que seria assim fácil. Pablo deve ter o poder de saber quando estou fingindo, porque já me olhou de uma forma vencedora assim que abri a porta. Ele parecia, ao mesmo tempo, confiante e vulnerável.

Pablo não se moveu. Ficou parado me olhando com aquele sorriso de canto de boca. Eu me segurava para não sorrir de volta, para não pular em seus braços.

— Ainda temos muito o que conversar — falei tentando parecer brava.

— Eu aceito.

— Especialmente sobre aquela Isabel.

— Tudo bem.

— E você não pode passar o dia todo voando por aí.

— Claramente.

— E nem tente deixar um bigode crescer de novo. Eu vi uma foto sua de bigode no jornal há duas semanas, e ficou horrível em você. — Claro, não pude deixar de xeretar o jornal por completo.

— O que você quiser.

— E não deixe de ter esse jeitinho seu. Eu odiaria perceber que estou namorando um cara normal.

— Essa é fácil.

— E nunca me abandone. Por favor.

— Até o fim. Eu prometo.
Eu me aproximei, e ele me beijou.

Pablo ignorou todos os jornalistas que tentaram entrar em contato com ele naquele dia. Simplesmente ficamos juntos, fazendo todas as coisas que são só nossas, como caminhar no jardim, visitar Magrelo e deitar na grama para olhar o céu.

Conversar com ele era tão bom! Ele era de longe o meu melhor amigo. Deitados na toca de Magrelo e cercados de grandes plantas, que nos impossibilitavam ver qualquer coisa além delas, peguei-me imaginando como seria bom se o mundo inteiro tivesse o cheiro de Pablo, se todos os travesseiros fossem confortáveis como seu peito e todos os cantores tivessem a voz dele.

— Na sua opinião — Pablo disse —, qual seria uma idade apropriada para casar?

— Como?

— Depende muito de cada reino. Em alguns, é hábito casar bem jovem. Eu gostaria de saber qual seria a idade ideal para você.

— Não sei. Daqui a três anos talvez?

— Ótimo. Anotado.

— Você está me pedindo o que eu acho que está?

— Qual é o problema? Você já me pediu tanta coisa hoje.

Eu o beijei, e ele retribuiu com mais energia. Nossos corpos foram se entrelaçando cada vez mais até não haver mais espaço nos separando em parte nenhuma. E eu queria mais. Pablo era ágil para abrir botões, e eu me deixei levar. Pablo era tudo que eu queria e tudo que me importava naquele momento. Nossos corpos estavam quentes e molhados.

Aconteceu. E foi perfeito.

DEZESSEIS ~~~~

Continuamos a aproveitar a sensação dos nossos corpos em êxtase, semivestidos, por alguns minutos. Até a fome começar a nos martelar o estômago.

No caminho entre o jardim e a cozinha, pude ver pela primeira vez com meus próprios olhos a Ave de Rapina. A máquina estava exatamente como nos desenhos de Pablo, pousada de forma gloriosa bem à minha frente. De certa forma, parecia um pouco com um pássaro: tinha asas transversais ao corpo, inúmeras cordas de todos os lados, uma hélice na frente, um assento para o piloto e outro para o carona. Acima de tudo, parecia leve, como se realmente fosse voar a qualquer momento. A única parte que não entendi foi a presença das rodas.

— Parabéns, amor! — falei ainda abraçada a Pablo. — Você fez algo belo aqui.

Ele olhou para mim meio hesitante, apresentando aquele sorriso de canto de boca.

— Eu a batizei de Ave de Rapina.

— Belo nome.

— Bom, agora sabemos que funciona. Você não gostaria de talvez... andar um pouco nela?

Olhei maravilhada para Pablo.

— Eu posso?

— Claro! — Ele pareceu terminantemente excitado por ter o seu convite aceito. — Você tem de experimentar a sensação. É simplesmente... mágico! Venha comigo, venha!

Ele me ajudou a subir na máquina. Eu estava tão ansiosa pela possibilidade de sair voando como um pássaro que a fome passou. Pablo deu um puxão nas hélices, o mais forte que pôde, e o motor começou a trabalhar para mantê-las girando. Subiu na Ave de Rapina com um aparente sorriso no rosto.

— Está segura? — perguntou enquanto verificava o meu assento e cinto.

— Acho que estou — respondi sem saber ao certo que tipo de precaução me manteria segura em uma máquina inédita como aquela.

— Prepare-se! — ele disse. — Você vai amar! — E me deu um longo beijo antes de endireitar-se em seu banco, logo à frente do meu.

Tudo na Ave de Rapina parecia leve. Antes mesmo de o equipamento alçar voo, era possível sentir a influência do vento nela. Não pude deixar de comparar a invenção com alguns aspectos da magia — afinal, nela eu me sentia realmente parte da natureza.

Não voamos de imediato. A Ave de Rapina começou a percorrer o solo usando as rodinhas, primeiro lentamente e, depois, acelerando, como se fosse um ser vivo acordando aos poucos. O vento no meu rosto me fazia bem. Eu estava feliz.

Cada vez mais rápido.

Cada vez mais leve.

Até começarmos a subir.

Primeiro o bico da máquina esticou-se rumo ao céu. Então o resto do corpo pareceu disposto a acompanhar o ritmo — foi possível sentir as rodas descolando do chão e voltando para ele milésimos de segundo depois, e descolando novamente... Até ficar claro que não tínhamos mais nenhum contato com a terra.

A partir daquele momento, pertencíamos ao ar.

— Olhe isso! — ele gritou. — Olhe isso!

Eu gritei de volta sem formar nenhuma palavra em específico, apenas expressando o som da minha excitação. Estávamos voando como pássaros.

— Olhe para baixo! — Pablo disse em meio ao barulho da máquina. — Todas aquelas pessoas!

Percebi sobre o que ele estava falando. Todos os seres humanos pareciam formiguinhas do nosso ponto de vista. Mas o que me impressionava mesmo era a vista: o Sol estava se pondo de forma que pintava cores impressionantes ao nosso redor. Não acima de nós, mas ao nosso redor, pois estávamos no céu! Não como balões, mas como águias! Em movimento! Movimento controlado, cortando o céu!

Um forte solavanco me tirou do transe. Por um segundo pensei que a máquina perdera o controle.

— Está tudo bem — ele disse. — Está tudo bem.

— O que aconteceu? — perguntei.

— Isso é normal.

Uma ave passou a voar ao nosso lado sem nos temer, como se pertencêssemos à sua espécie. Dediquei-me a observá-la. Ela parecia voar mais alto do que nós à medida que avançávamos. Percebi que, lentamente, estávamos perdendo altitude. Algo parecia estranho.

— Vamos pousar? — perguntei.

— Veja o Sol — ele disse —, como é lindo!

De fato, parecíamos voar em uma pintura tamanha a variedade de tons à nossa volta provocada pelo Sol que partia. O astro rei parecia descer para dormir por detrás das montanhas, mas, na verdade, estava indo visitar o outro lado do mundo. Logo amanheceria em algum outro reino.

Continuávamos a perder altitude.

— Você está firme em seu assento? — Pablo perguntou gritando para conseguir superar o barulho do vento.

— Sim! — gritei de volta.

— Acho que teremos um pouso um pouco brusco — ele disse estendendo a mão para trás para segurar a minha.

115

Ele apertou forte, e pude sentir tudo.
A mão de Pablo suava frio.
Ela tremia forte.
Como quem sente medo.
Como quem sente medo pela primeira vez na vida.
Medo.
Como quem não quer contar.
Estávamos perdendo o controle da Ave de Rapina.

— Mel, preciso que você erga plantas usando seu corpo como base como fez outro dia no hangar, lembra?

O tom de Pablo não deixava espaço para contra-argumentos. Eu estava no ar, sem contato com a terra, mas, mesmo assim, concentrei-me para canalizar o máximo de energia mágica possível por meio dos gestos aprendidos no mosteiro. Rapidamente minhas pernas foram envolvidas com galhos e plantas. Fechei os olhos para continuar fazendo a vegetação conjurada crescer.

A velocidade só aumentava, assim como os solavancos. Em alguns momentos, Pablo puxava com força a parte frontal da nave para cima conseguindo uma leve subida antes de voltarmos a descer...

Nós nos aproximávamos do chão em círculos. Longos círculos. Tentei fazer as plantas chegarem a Pablo. Ele parecia ter olhos na nuca: logo que percebeu minha intenção, lançou-me um olhar que deixava claro que eu deveria me proteger com as plantas e deixá-lo como estava.

Passamos por outras duas aves, que ficaram agitadas com a nossa presença meteórica. Sobrevoávamos um campo aberto — seria mais fácil pousar ali do que em um lugar com casas e construções. Cada vez mais as árvores pareciam maiores, e o chão, mais próximo. Eu estava praticamente dentro de um casulo vegetal, com frestas que ainda me permitiam ver ao redor. Em determinado momento, planávamos em círculos com tanta precisão que a situação pareceu sob controle, o que me acalmou um pouco.

Então duas cordas da asa da Ave de Rapina se soltaram.

Só pude fechar os olhos e sentir medo. Todo o meu corpo estava rígido dentro do ninho de plantas, como se aquilo fosse ajudar em alguma coisa.
Quicamos com força no solo. Três vezes. Depois a nave derrapou por cerca de dois metros... Pude ver uma das asas se descolando e voando na direção oposta. Havíamos finalmente parado. Estávamos em terra firme.
Sorri ofegante em alívio.
Quando abri os olhos e me desvencilhei das plantas, percebi que a parte da frente da Ave de Rapina estava muito mais danificada do que imaginara, fazendo a parte de trás parecer nova em comparação.
Pablo estava parado. Não entendi por que ele não se virou para verificar se eu estava bem.
Pablo estava parado.
Sua cabeça pendia para o lado.
Pablo estava imóvel.
Soltei-me do cinto e encontrei dificuldade para sair da nave, com todos aqueles pedaços danificados ao redor. A hélice ainda girava lenta e copiosamente. Cambaleando, consegui me posicionar à frente da máquina.
Pablo estava imóvel.
Pablo estava de olhos fechados, da mesma forma que eu gostava de observá-lo enquanto dormia. Parecia sereno.
— Pablo... — falei. — Pablo... Pablo!
Não.
Toquei seu corpo. Segurei a cabeça dele e tentei fazê-lo acordar, mas não se mexeu.
Não.

— Pablo! Pablo, olhe para mim!
Não, não, não, não, não, não, não, não, não, não...
— Por favor, Pablo — supliquei —, olhe para mim!
Minha visão ficou turva. Finos traços de lágrimas começaram a descer pelo meu rosto, morbidamente semelhante ao fino traço de sangue que passou a escorrer de uma das narinas de Pablo.
— POR FAVOR, PABLO! Não, não, não, não, não... Pablo, por favor!
Tirei seu cinto, e o corpo dele pendeu para a frente. Eu o abracei com força.
Não foi um abraço como os outros. Era possível sentir o seu corpo, mas não a sua forma singular de respirar. Pude sentir o seu cabelo quando passei meus dedos nele, contudo não senti o pulsar do seu coração...
Não pude sentir vida.
— PABLO! POR FAVOR, NÃO!
O único homem que eu já havia amado.
— OLHE PARA MIM!
Tínhamos planos para os próximos cinquenta anos.
— POR FAVOR!
Eu não posso fazer isso sem ele.
Gritei forte, como se fosse possível expulsar a dor do meu corpo pela garganta. Não era.
Olhei em volta e não encontrei ninguém. Ninguém para pedir ajuda. Ninguém.
Apenas eu e Pablo.
Apenas eu.
Não queria soltá-lo nunca mais. Como se, ao soltar, aquilo seria concretizado, Pablo teria falecido.
Eu não tenho poder sobre a realidade. Isso já era real, eu querendo ou não.
— Pablo... Por favor, Pablo...

Ele sempre fez tudo por mim, por que não atendia mais esse pedido?

— Eu não posso continuar sem você... Por favor, não. Por favor.

Simplesmente permaneci agarrada a ele por horas. Não existia mundo além disso.

Então senti uma mão quente em meu obro que me puxou delicadamente. Deixei-me levar até perceber que fui abraçada pela minha mãe. Não sei como ela chegou ali. Permanecemos abraçadas enquanto ela acariciava meu cabelo.

Tudo que eu queria era voltar para Pablo, pois ele poderia voltar a respirar a qualquer momento e poderia precisar da minha ajuda, mas estava sem forças para fazer qualquer movimento. Esperei ouvir o som da voz da minha mãe, porém o silêncio permaneceu. Ela apenas me acariciava.

Depois de um tempo, passamos a caminhar em alguma direção, e novamente me deixei levar por ela. Percebi que estávamos cercadas de pessoas — inúmeros olhares voltados para nós, mas nenhum deles importava.

Eu queria olhar para trás, conferir como Pablo estava, porém não consegui. Minha presença de espírito permitia apenas me deixar levar.

Alguém me ofereceu uma cadeira, na qual sentei e voltei a chorar. Chorar muito.

Não era possível imaginar aquilo. Não era possível imaginar o resto da minha vida... sem o resto da dele.

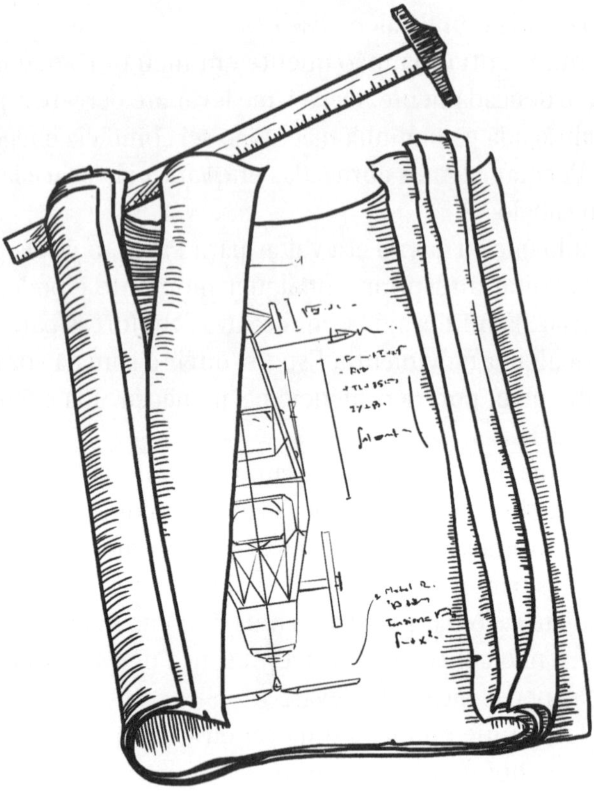

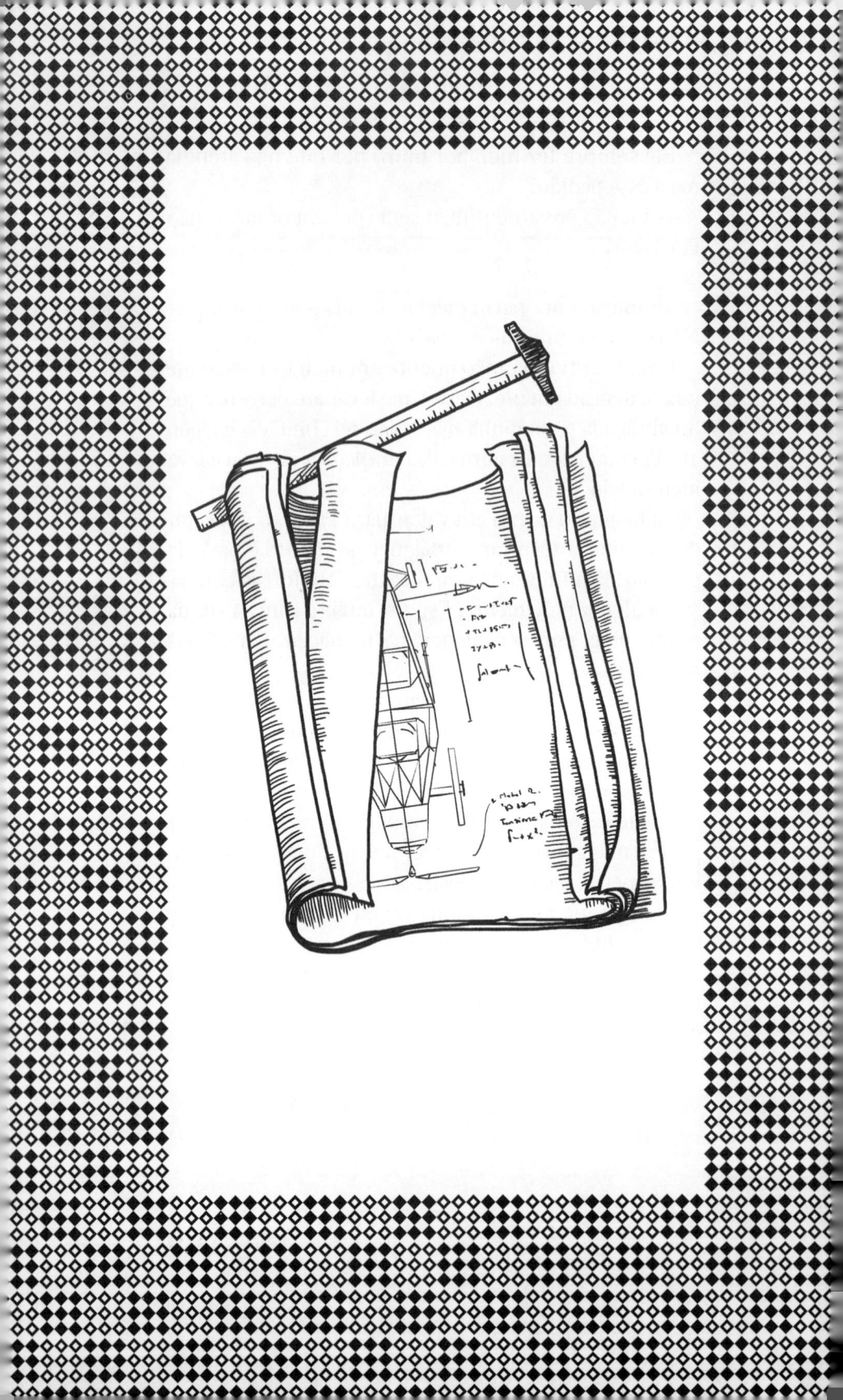

DEPOIS

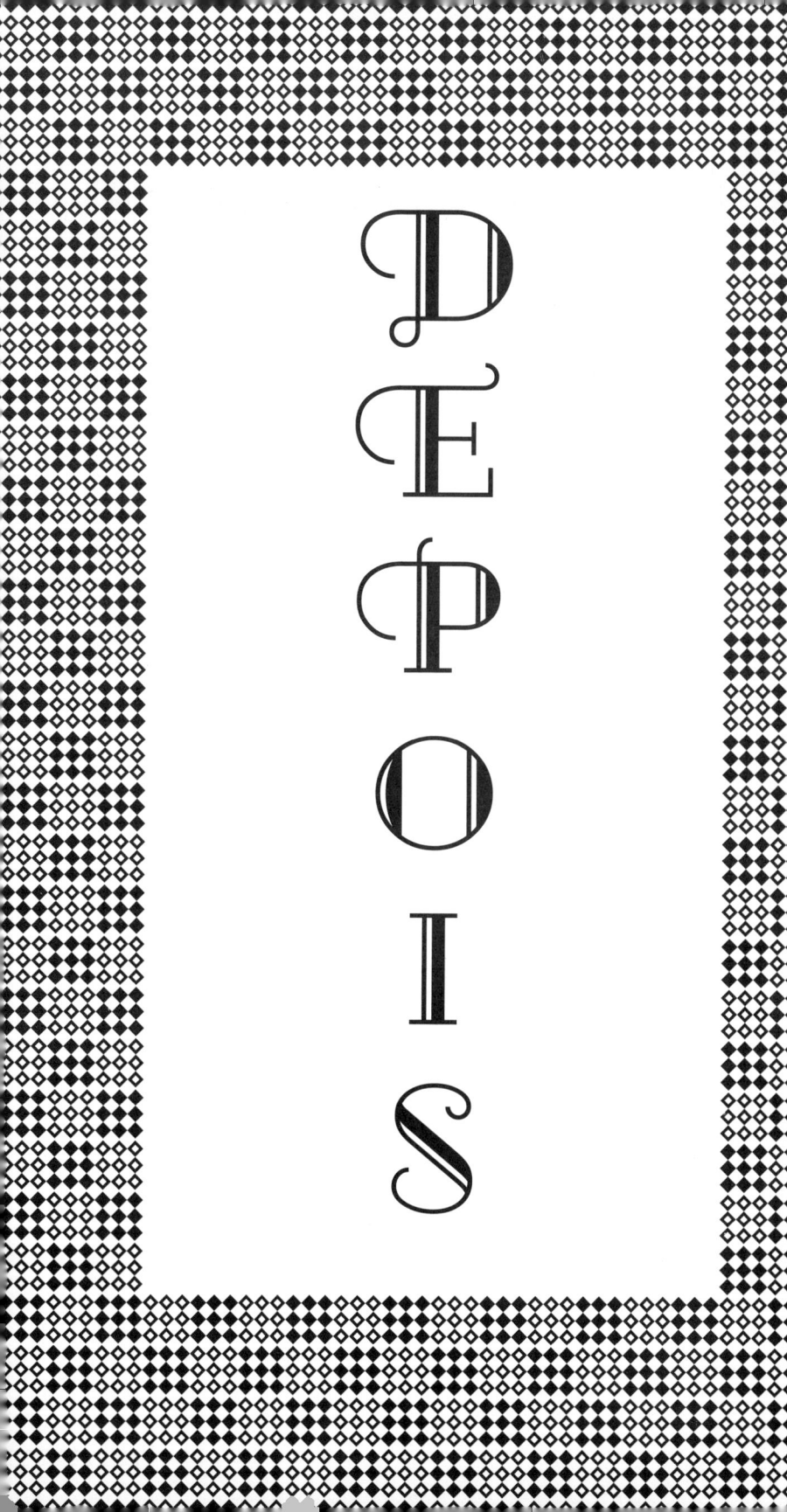

UM 〜〜〜〜〜〜〜〜〜〜〜〜

O dia seguinte não parecia real de maneira nenhuma. As coisas aconteciam à minha volta, e era como se eu enxergasse tudo de dentro de uma bolha, onde nada poderia me atingir de fato, como se eu fosse um fantasma.

Tomei um banho sem sentir a água. Depois minha mãe falou comigo sem que eu pudesse escutar. Um vestido preto me esperava esticado em minha cama — não quis usá-lo. Optei, ao contrário, pelo vestido branco, aquele que ganhei de presente. Prendi meu cabelo em coque, pois não queria arrumá-lo.

Uma dezena de diligências da realeza nos esperava no portão de casa para nos levar, em silêncio, até o cemitério. Não tinha certeza se a cidade toda estava em silêncio ou se era eu que não me importava em ouvir.

De longe, foi possível enxergar o tumulto. Centenas de pessoas que pensavam conhecer o meu namorado se aglomeravam no cemitério para acompanhar a despedida. Poucos tiveram uma história verdadeira com Pablo, puderam observá-lo enquanto dormia ou riram de alguma piada dele. Por que estavam ali? A presença daquela gente me insultava.

Os guardas abriram espaço para as diligências que transportavam a mim e a minha família. Todas aquelas pessoas me encaravam, e eu não me importava. Então percebi que a grande massa estava em um espaço separado dos familiares e pessoas que realmente conheciam Pablo. Todas as cadeiras estavam reservadas indicando a relação de cada conhecido: algumas apresentavam uma placa escrita "amigo" esperando o dono, outras tinham a inscrição "pai", "mãe", "primo" e coisas do gênero.

Fui guiada até uma cadeira com a palavra "noiva". Ele colocou o meu nome no alto do castelo e declarou o seu amor por mim publicamente — a confusão foi compreensível. Era difícil imaginar que não faltara muito para aquilo ser verdade. Senti um nó na garganta.

Minhas irmãs sentaram ao meu lado. Do meu lugar era possível ver o caixão, fechado e rodeado de rica variedade de flores.

Houve salva de tiros, salva de palmas. O rei estava lá. Violinistas tocavam músicas que Pablo jamais escutaria por escolha. Pessoas que eu nunca havia visto na vida choravam copiosamente. A mãe de Pablo desmaiou e foi prontamente atendida.

O céu estava muito limpo. Azul.

Cavaram uma cova funda. Posicionaram dentro dela o caixão com o corpo de Pablo e jogaram areia por cima.

Pouco a pouco, as pessoas foram deixando o lugar, todas olhando para o chão. O cemitério se esvaziava.

Minha mãe colocou as mãos sobre meus ombros.

— Fique aqui o tempo que quiser — disse beijando minha testa para, então, retirar-se com o resto da família.

Quando achei que já estava sozinha, uma sombra no chão denunciou a presença de alguém. Isabel encontrava-se parada à minha frente, olhando para mim, com os dedos entrelaçados. Usava um vestido preto e parecia desolada. Tão frágil.

Em um salto eu me levantei, e ficamos frente a frente sem dizer nada por um minuto inteiro. Tão rápido e subitamente quanto deveria ser, nós nos abraçamos e choramos juntas, como iguais, uma sobre o ombro da outra, sonoramente.

Ficamos estáticas dessa forma durante o tempo necessário. Finalmente nos soltamos, nos sentindo um pouco mais leves. Isabel se virou e foi embora sem nada dizer.

Melhor assim.

Contornei as cadeiras e me aproximei do túmulo de Pablo. Existia uma coisa que eu queria fazer. Sentei-me diante da lápide e só então pude ver o que haviam escrito em sua memória:

"Aqui jaz Pablo Eax, o homem que voou"

Exatamente como pensei: o que escreveram não era o bastante para ele. Tirei do meu sutiã o pedacinho de carvão que trouxera comigo e rabisquei ao lado do seu epitáfio:

"...e amou"

Gostei da forma como a frase soou.

DOIS ✎✎✎✎✎✎✎✎✎✎

Voltei para casa e, assim que cruzei a porta, encontrei Natasha me esperando. Ela olhou para mim, e eu pude sentir que ela suplicava por algum modo de me ajudar, mesmo sabendo que era impossível. Eu não sabia o que dizer, então permaneci calada, assim como ela, que se aproximou silenciosamente e me abraçou. Um abraço tão forte que só uma irmã teria permissão para dar. Por cima do seu ombro, pude ver Raquel se aproximando lentamente — ela veio ao nosso encontro e nos abraçou, estendendo os braços o máximo que pôde. Logo atrás de mim, senti o corpo de Bianca abraçando nós três, que estávamos de olhos fechados.

Então veio Anita...

Raquel...

Nathália...
Leila...

Todas as minhas irmãs se juntaram, uma a uma, àquele abraço coletivo, ligando todas nós, formando uma só unidade. Fui sentindo meu corpo cada vez mais quente conforme elas se aproximavam, assim como o meu choro era mais acolhido. Eu estava em um lugar seguro e sabia disso. Todas as irmãs estavam conectadas naquela demonstração de amor coletivo em plena sala de estar.

Então minha dor foi dividida por oito, tornando-se mais suportável.

Naquela noite, dormi pela primeira vez depois do que me pareceu um século.

TRÊS

Decorei o trajeto da minha casa até o cemitério e passei a percorrê-lo todas as manhãs, quase automaticamente, só para me sentar em frente ao túmulo e ficar sem saber o que fazer. O máximo de ação que realizava era conjurar melissas para ele sempre que não havia ninguém por perto. O meu inconsciente estava apenas tentando entender o que havia acontecido. É muito mais complexo do que parece...

Como Pablo podia existir em um dia e, no outro, simplesmente não? Sempre me lembro das histórias que ouvimos, de que nossa energia volta para a natureza, e observava a grama à minha volta, tentando absorver esse raciocínio. Um dia, um pássaro passou voando entre mim e o túmulo, justamente enquanto pensava nisso. Senti um calafrio.

Uma semana se passou antes que um mensageiro do rei viesse bater à minha porta. Talvez eles imaginassem que estavam me dando um tempo para me acalmar antes de me chamarem, sem saber que meu sistema nervoso demoraria anos até voltar ao normal.

Quando abri a porta, o mensageiro olhou para mim com uma cara de pena. A essa altura, todos sabiam quem eu era: a "viúva" mais jovem das redondezas.

— Senhorita Melissa? — ele perguntou.
— Sim — respondi.
— Preciso que venha comigo.
— Posso saber o motivo?
— O rei deseja falar com você. Nada grave, apenas uma questão corriqueira.

Eu já tinha idade suficiente para saber que o rei não tratava de assuntos corriqueiros pessoalmente.

Fui levada em uma diligência parecida com a que transportou a mim e a minha família para o cemitério. Saí com a roupa que estava e nem me preocupei em avisar as minhas irmãs que estava saindo de casa. Eu conversaria com o rei vestindo sandálias e não ligava a mínima para isso.

Pela primeira vez, estava dentro do castelo. E me perguntei como as pessoas conseguiam morar em um lugar como aquele sabendo da miséria que se alastrava entre diversas famílias por todo o reino. Pablo morava em uma casa extremamente confortável, mas o castelo extrapolava qualquer coisa que eu tinha visto até então — parecia ser totalmente coberto de ouro. Fica bastante claro que a linha do bom senso foi ultrapassada pela realeza.

O salão de entrada era tão longo que perdi o fôlego enquanto o cruzava a passos apressados para acompanhar o mensageiro que me conduzia. Eu continuava a esmiuçar a decoração, pensando sobre o quanto tudo aquilo era dispensável.

Eu não precisei esperar o rei me atender. Pelo contrário: ele que me esperava, sentado diante de uma pequena

mesa que certamente não pertencia àquele lugar originalmente, já que não era coberta de ouro.
Algo estava muito estranho.
Eu já havia visto o Rei Amberlin XIX em fotos nos livros escolares e jornais. Fora as vezes que eu o vi de longe, em cerimônias oficiais, como a feita em homenagem a Pablo. De perto, ele era mais feio. Sua barba ruiva continuava a mesma, assim como as roupas, mas aquele homem não parecia tão saudável como era na minha imaginação. De qualquer forma, ele não parecia humano, nem comunicativo. Parecia ser de outro mundo, outra dimensão, o que tornou todo o nosso diálogo ainda mais desconfortável.
— Melissa! — O rei levantou-se e me cumprimentou como se nos conhecêssemos. — Sente-se, por favor.
Sentei-me e reparei que a mesa estava repleta de doces caseiros, muitos deles eu nem sequer conhecia.
— Sinta-se à vontade, madame. Sirva-se do que quiser. — Parecia excessivamente cordial.
— Não estou com fome — retruquei honestamente.
— Eu entendo — ele disse enquanto se servia de biscoitos. — Eu comerei algo se não se importar.
— Não, claro — respondi.
— Ótimo. Diga-me: como você se sente, Melissa?

O rei queria ser meu amigo? O que estava acontecendo? Será que estou no meio de um sonho bizarro?

— Não muito bem, eu acho — respondi, sendo novamente sincera.
— Claro que não — disse ele com uma expressão séria. — Nenhum de nós está, acredito. Seu namorado era um homem muito querido, Melissa, por todos nós da realeza. De fato, cheguei a pegá-lo no colo quando ainda era apenas um bebê.

Por que ele estava me contando essas coisas? Só conseguia pensar em quanto eu estaria sendo rude com um rei! Queria encontrar algo cordial para dizer e prosseguir a conversa...

— Tenho certeza de que aquilo que vocês viveram foi intenso, uma história para ser lembrada eternamente. Estou percebendo que a senhorita ainda tem muito o que absorver. Claro, é tão recente. Não quero tomar mais do que dez minutos do seu tempo com essa frivolidade.

Então ele puxou uma série de papéis debaixo da mesa.

— Pablo não ligava muito para questões burocráticas. Por isso, coisas como o seu testamento são rigorosamente previsíveis: boa parte dos seus pertences foi deixada para a família dele e para a caridade, exceto uma coisa...

Nada sobre esse assunto me interessava de fato.

— A máquina. — O rei me encarou com firmeza. — Ele deixou a máquina voadora para você.

— Ave de Rapina.

— Como?

— Ave de Rapina. É assim que ele a chamava.

— Entendo. Pablo deixou a... Ave de Rapina... para você. Em suas anotações, tudo que dizia era que você saberia o que fazer com ela.

Eu apenas sabia que não iria querer voar nunca mais.

— Contudo, você há de entender que uma invenção perigosa como essa, e de tamanha importância, não pode ficar em sua responsabilidade. Só preciso que você assine estes papéis para transferir os seus direitos da Ave de Rapina para o reino, e não iremos perturbá-la novamente. — E me estendeu uma pena já com tinta na ponta.

Mirei os olhos do rei. Naquele momento, eu seria corajosa, simplesmente porque deveria ser.

— Vocês usarão a máquina em guerras?

Ele não abaixou a pena enquanto falava, e sua voz soou mais grave...

— Ainda não sabemos quais serão as implicações da máquina em nossa gestão. Isso ficará a cargo da nossa comissão estratégica, e não cabe nem a mim e nem a você julgar essa decisão.

Permaneci firme.

— Pablo não queria que sua máquina fosse utilizada em guerras.

O rei abaixou a pena e acariciou as têmporas demoradamente. Eu não era mais amiga dele, e sim uma camponesa que o estava confrontando em seu primeiro encontro.

— Pablo ficaria HONRADO em ter sua criação defendendo o seu povo.

— O senhor não conhece Pablo como eu conheço — retruquei. — Ninguém conhece.

Ele sorriu. Um sorriso frio e sem vida. Senti muito medo.

— Eu não estou pedindo: assine aqui.

— Não.

Pergunto-me quando teria sido a última vez que alguém teria dito "não" ao rei. Provavelmente eu tenha sido a primeira mulher a fazer isso. Ele permaneceu parado, olhando para mim tão fixamente que era impossível dizer se estava respirando.

— Melissa, tenho aqui algo a lhe oferecer em troca da sua assinatura.

O Rei Amberlin XIX tocou uma sineta que tinha do seu lado da mesa. Surgiu um criado carregando, com ambas as mãos, um objeto encoberto por um pano vermelho, então colocado sobre a mesa, diante do rei.

— Você não faz ideia do que seja isto, não é, Melissa? Pois veja.

O rei levantou o pano: um vaso com uma flor.

— Reconhece esta flor? — ele disse, mal contendo uma espécie de sorriso.

Fiquei alguns segundos tentando entender o que significava tudo aquilo. Foi quando me dei conta: aquela era a flor que conjurei na entrada do colégio no dia em que conheci Pablo. Uma flor mágica, proibida por lei.

— Basta eu chamar uma testemunha ou uma especialista em magia para você ser condenada. É claro que esta flor não é a única. Temos acompanhado você de perto desde que começou a jogar o seu pífio charme no jovem mais importante do reino. — Eu mal conseguia respirar. — Entende agora, Melissa? Um rei jamais se curva a uma mera camponesa. Hoje não irei prendê-la, mas tome cuidado. Um passo em falso seu, e você será enclausurada por um bom tempo... É claro que sua família não sentiria tanto a sua falta, com tantas mulheres na casa. E eu garanto que você não gostará nada das nossas masmorras. Agora saia da minha frente! — disse guardando os documentos.

Aquilo devia ser um pesadelo.

— NÃO! — Levantei em um salto. — O senhor não pode fazer isso!

— Eu posso aquilo que me convém.

Guardas se aproximaram de mim e me agarraram pelos braços. Eu tentava me esquivar deles enquanto gritava aos prantos. Sentia o meu peito queimar como brasa.

— SEU MONSTRO! O SENHOR NÃO PODE FAZER ISSO COM PABLO!

Os guardas tentavam não me machucar, mas eu me esquivava, chutava e mordia quem estivesse por perto. Poderia, inclusive, pular no pescoço do próprio rei naquele momento.

— SEU MONSTRO!

Fui arrastada pelo castelo e arremessada para o lado de fora, onde permaneci chutando o portão de ouro enquanto chorava em vão. Pouco a pouco, as minhas forças se esvaíram até eu começar a sentir as pernas fraquejarem. Ajoelhei em frente àquele imenso castelo, ainda soluçando baixo.

Um homem se aproximou de mim calmamente.

— Senhorita, se for o seu desejo, ainda posso levar-lhe de volta à sua casa — ele disse.

Aceitei a oferta. O trajeto de volta fora tão silencioso quanto o de ida, só quebrado já na porta de casa.

— Acredite, o rei é muito misericordioso. Ele podia ter mandado cortar a sua cabeça. — Aquilo não soou como uma ameaça, mas uma constatação sincera.

Quando cruzei a porta, com os olhos inchados, minha mãe logo veio me acolher, imaginando ser apenas mais um dia em que passara chorando em frente ao túmulo de Pablo. Não contei a ela o que aconteceu — em parte porque não queria reviver o momento, em parte porque ela teria tido um ataque do coração se soubesse que chamei o rei de "monstro".

Aquela foi a gota d'água para me impedir de dormir durante a noite. A imagem da Ave de Rapina sendo usada para tirar vidas, como se ela já não tivesse provocado morte suficiente, rodava na minha mente. A Lua sumiu e o Sol voltou a nascer sem que a noite tivesse existido, pelo menos para mim.

— Ao menos na escola você poderia se distrair — minha mãe argumentou.

Não era verdade. Ir à escola significaria conviver com outras pessoas do reino, e pessoas são a forma mais constante de lembrar Pablo. Todas elas ficariam olhando para mim curiosas, mas não o suficiente para perguntar. Eu ouviria o tom de pena em cada sentença, em cada gesto. Não estava preparada para aquilo.

A escola também me lembraria da bobagem que fiz ao conjurar uma flor fora da lei, uma transgressão tola que agora poderia ser usada contra mim. A situação sem sentido de ser presa por criar uma flor.

— Coma algo pelo menos — ela insistiu.

Comi um pedaço de pão. Todo tipo de alimento descia de um jeito ruim pela garganta, causando mal-estar momentâneo. No entanto, eu sabia que ficar sem comer iria preocupar a minha mãe e roubar ainda mais sua atenção.

Eu sabia muito bem para onde queria ir. Vesti roupas decentes e trilhei o caminho tão conhecido em direção à casa da família de Pablo.

Desta vez, o portão não estava fechado, então simplesmente entrei. Uma das criadas veio a mim, surpresa com a minha presença.

— Desejo falar com a senhora Eax — eu disse.

— A senhorita tem certeza?

— Como assim? Claro que tenho.

— Então me acompanhe, por gentileza. — Ela parecia relutante em atender o meu pedido.

Eu a segui até o quarto da senhora Eax, percorrendo um lado da mansão que nunca havia visto. A criada parou diante de uma porta.

— Entre sem bater — ela disse, virou-se e foi embora.

Segui a orientação e entrei no que descobri ser um quarto. Um imenso lustre iluminava o local, que continha uma gigantesca cama de casal, na qual caberiam uns três casais.

Do outro lado do cômodo, em frente a um armário branco, estava a mãe de Pablo, de costas para mim. Ela mexia nas roupas freneticamente — não consegui entender o motivo de tamanha agitação. Ela não notou a minha presença.

— Olá, senhora Eax — eu disse ao me aproximar.

Ela parou de se mexer, como se tentasse perceber de onde aquela voz aparecera. Virou-se para mim, e pude finalmente ver seu rosto. Ela não estava bonita: parecia pálida e doente, seu cabelo lembrava um ninho de pássaros.

— Melissa — ela disse —, olá!

E voltou a mexer nas roupas. Pegou um punhado delas, como se fossem palha, levou até um baú e as depositou nele, derrubando várias peças pelo chão.

Tive a intenção de questionar se ela estava bem, mas a resposta era tão óbvia que a pergunta seria indelicada.

— Arrumando minha mudança — a senhora Eax disse. — Estou arrumando minhas coisas. Vou me mudar daqui. Estou arrumando para ir embora deste lugar. Daqui para outro lugar.

Em seguida, ergueu do chão uma garrafa de licor e bebeu um longo gole direto do gargalo. Ela estava obviamente embriagada — era possível notar pelos seus passos e pelo seu jeito de falar. Olhei para o piso e vi outras garrafas rolando vazias pelo quarto.

— Eu preciso falar com a senhora.

— Pode falar. Só não posso parar de arrumar porque estou com pressa.

Ela não estava realmente arrumando nada. Socava as roupas no baú, amassadas e de qualquer jeito, para voltar ao armário e pegar outro monte de uma só vez. Havia mais roupas no piso do que no armário e no baú, sendo que esse último nunca suportaria sozinho todas aquelas peças. Quando ela notava que o baú estava cheio, simplesmente pegava um punhado de roupas de dentro dele e jogava no chão, dando espaço para outros itens, que logo teriam o mesmo destino.

Não tive certeza se era o melhor momento para falar sobre aquilo, mas, se ela realmente estava de mudança, aquela poderia ser a minha última chance.

— É sobre a máquina voadora. Aquela do Pablo.
— SIM, sim! — ela me interrompeu. — Os guardas já estiveram aqui. Levaram tudo: os destroços da máquina, as plantas, as anotações... Tudo.
— Esse é o problema. — Não queria parecer agitada demais, o que era impossível. — Eles usarão o trabalho de Pablo na guerra, mesmo ele tendo se declarado contra e...
— Eu não me importo — disse abruptamente.
— Mas era o desejo de seu filho...
— EU NÃO ME IMPORTO COM AQUELA MÁQUINA!

Os berros dela me deixaram paralisada, assustada, sem saber o que fazer.

— AQUELA MALDITA MÁQUINA MATOU O MEU FILHO! EU NÃO ME IMPORTO COM O QUE FARÃO COM ELA! — E virou mais uma boa dose de licor. — Os homens dão valor demais para essas coisas... O trabalho deixou meu marido debilitado e levou meu único filho de mim. Eu não me importo com o que os homens farão daqui para a frente. Não me importo com suas guerras, seus trabalhos, seu dinheiro. Eu. Não. Me. Importo.

Bebeu mais um gole e desatou a chorar.

Eu deveria ter ficado. Deveria ter me aproximado dela e a abraçado. Deveria ter dito que estávamos juntas nessa e que tudo ficaria bem. Porém, minha cota de coragem do ano já estava praticamente esgotada, deixando-me assustada demais para permanecer ali.

Não me despedi quando deixei o cômodo. Andei a passos apressados procurando a saída, tomando cuidado para não encontrar o antigo quarto de Pablo por engano.

Quando finalmente me encontrei a céu aberto, sentei em um banco e tentei recuperar o fôlego. Estava muito difícil respirar, tão difícil quanto pensar em algo concreto, e quase tão difícil quanto tirar o medo de mim.

Ergui a cabeça e notei que estava no jardim, o mesmo

em que eu e Pablo costumávamos fazer nossas caminhadas. Logo adiante estava o lugar onde fizemos piquenique, onde ele me ensinou a escrever de olhos fechados pouco antes de irmos visitar Magrelo...

Magrelo.

Esqueci-me dele completamente. O dragão-anão estava abandonado na parte secreta do jardim, sem fazer ideia de que o seu dono se fora. Além de Pablo e de mim, o único que sabia da existência de Magrelo era o debilitado senhor Eax. Nesse difícil momento, ele não devia ter se lembrado do dragão, que provavelmente estava sem comida.

Corri pelo jardim, trilhando o caminho secreto. Será que a família Eax se lembraria de levar o dragão na mudança? Se não levasse, eu não me importaria em cuidar dele — temporariamente no próprio jardim até começarem os rumores de que uma nova família se mudaria para lá. Então levaria Magrelo para um matagal próximo. Poderia deixá-lo amarrado e soltá-lo todas as vezes que fosse visitá-lo, talvez uma vez por dia. Tenho certeza de que ele não fugiria, pois é muito domesticado.

Quando cheguei ao esconderijo, encontrei Magrelo dormindo normalmente, como se o mundo fosse o mesmo e nada tivesse mudado. Minha presença o despertou, e ele veio andando sonolento em minha direção. Deitou-se ao meu lado e me encarou sem parecer bravo por não receber uma visita há pelo menos uma semana.

Resolvi explorar mais um pouco o lugar e senti enorme alívio ao notar que ele se alimentava de frutas: havia uma tonelada delas esperando para serem ingeridas. Vi também, pela primeira vez, que havia fezes espalhadas pelo local. Nunca havia parado para pensar nesse detalhe — Pablo fazia a coleta, e agora seria a minha vez.

Eu queria tanto ter um meio de explicar para Magrelo que Pablo não viria mais, que aquele especial companheiro não tinha sido esquecido, que Pablo nunca o abandonaria. Em vez disso, Magrelo esperaria o seu dono por dias a fio, sem entender o que estava acontecendo, até o dia que não esperaria mais. Gostaria muito de saber quão conscientes do fantasma da mortalidade os dragões são. Passei a tarde fazendo carinho em Magrelo, consolando-o de um luto que ele nem sentia.

QUATRO

Como imaginei, a família de Pablo se esqueceu de Magrelo, deixando-o para trás na casa abandonada. E eu fiz dele minha responsabilidade.

Cuidar do dragão era relativamente fácil. A única parte realmente desagradável era recolher as fezes. As frutas durariam ainda mais alguns dias, mas eu já me preocupava em descobrir onde conseguiria mais quando precisasse.

Magrelo precisava aprender como se brinca com uma garota. Ele e Pablo tinham brincadeiras fisicamente muito fortes: o dragão o derrubava, e eles ficavam rolando no chão por horas. Mais de uma vez Magrelo tentou fazer o mesmo jogo comigo e levou uma bronca disciplinadora, pois poderia muito bem quebrar uma costela minha com seu peso. E agora seria difícil conseguir socorro caso isso acontecesse: até então, eu não havia me dado conta de que eu me tornara a única pessoa do reino que sabia da existência de tal dragão.

Ele passou a ser uma boa companhia para mim e o responsável pela hora mais divertida do meu dia.

Em compensação, a hora mais chata do dia certamente era a escola. Ao contrário do que eu imaginara, ninguém tocou no assunto de Pablo na minha frente. Em vez disso, instaurou-se uma espécie de acordo mudo: ninguém comentava assuntos ruins perto de mim, ninguém me contradizia, e todos eram extremamente simpáticos e dispostos a fazer qualquer favor para mim. Eu era grata por todo aquele esforço, mas gostaria muito que apenas agissem normalmente. Evitando falar sobre Pablo, sim, porém queria que agissem normalmente.

Uma mulher de cerca de quarenta anos me esperava do lado de fora da escola. Aproximou-se de mim sorridente. Tentei lembrar se conhecia aquele rosto de algum lugar, sem sucesso.

— Senhorita Melissa? — perguntou.

Eu já havia aprendido que, quando uma camponesa era chamada de "senhorita", aquilo indicava mau presságio.

— Sim — respondi.

— Poderíamos conversar, por gentileza? Não tomará mais do que dois minutos do seu tempo.

— Sobre o que seria?

— Sobre tudo — respondeu. — Meu nome é Anna Bea. Sou repórter do *Diário de Amberlin*...

— Não! — eu disse imediatamente e saí andando o mais rápido que consegui.

A insistente jornalista caminhou logo atrás de mim, me perseguindo esbaforida.

— Só uma palavrinha. Todos nós gostaríamos de saber mais sobre sua relação com Pablo. Talvez ouvir uma palavra de consolo.

— Não quero falar. — Continuei andando, já cogitando evocar uma raiz que desse uma rasteira nela, mas me lembrei da ameaça do rei e logo descartei a ação.

— Você não pode fugir. Você é uma celebridade agora...

— Não.

— Você sentia muitos ciúmes de Pablo?

— Não quero falar.

— Você se sentiu traída quando notou que ele não lhe deixara nada de herança?

Uma voz imponente surgiu atrás de nós.

— Você não ouviu? Melissa não quer falar.

Majestosa e com uma expressão severa no rosto, estava a última pessoa que eu esperava encontrar naquele momento para me defender: Princesa Isabel.

Isabel não era princesa do Reino de Amberlin, porém qualquer um admitiria a autoridade da sua presença apenas pelo seu tom de voz, pela sua postura e pela energia que exalava.

— Melissa não quer falar com você. Não há nada aqui que você possa usar para vender jornal.

A jornalista, que parecia ter um terço do tamanho de Isabel, recolheu-se e saiu calada.

Imaginei se, por causa do nosso momento de identificação no velório de Pablo, Isabel teria passado a pensar que nós éramos amigas, o que seria um tanto estranho. De qualquer forma, estava agradecida pela ajuda.

— Obrigada — falei baixinho.

— De nada.

Depois de um segundo sem saber o que fazer, virei-me para continuar meu trajeto.

— Espere! — Isabel disse. — Preciso muito conversar com você.

Parecia que o mundo inteiro queria conversar comigo.

Isabel me pediu para acompanhá-la. Entramos, então, em sua carruagem, com um guarda de plantão no lado de fora.

— Está quente aqui dentro — reclamei. — Não podemos conversar na praça?

— Não — Isabel respondeu —, não é seguro.

Fiquei intrigada.

— Sobre o que exatamente você quer falar?

— Sobre isto.

Entregou-me um jornal. Na foto de capa se viam três máquinas idênticas à Ave de Rapina, lado a lado. Não tive coragem de ler a manchete.

— Você entregou os direitos da Ave de Rapina para o reino? — inquiriu.

— O quê?! Não! É claro que não! — respondi ofendida. — Eles tomaram de mim. O rei disse que ele é a lei e assinou os documentos em meu nome quando me recusei a fazê-lo.

— Entendi — Isabel respondeu balançando a cabeça. — Desculpe-me, mas eu tinha de perguntar. Isso não pode acontecer... Eles usarão a máquina na guerra!

— Se eu bem lembro, você era a favor disso...

— Isso não é sobre mim! E nem sobre você! — ela respondeu com o dedo em riste. — É sobre Pablo! E o sonho dele! Se Pablo não queria que o trabalho de sua vida fosse usado na guerra, não posso permitir que isso aconteça, independentemente da minha opinião, em puro respeito à sua memória!

A princesa estava certa. Ela respirou fundo e voltou a falar mais calmamente.

— Eu sei que nós nunca fomos amigas, Melissa. Mas Pablo a amava de verdade, eu sei disso. Precisamos impedir que eles façam isso com o trabalho de vida do Pablo.

A princesa estava certa.

Isabel respirou levemente, olhando nos meus olhos. Pela primeira vez, falou algo em um tom de voz diferente do que eu me acostumara a ouvir...

— Eu sempre senti ciúmes de você.
— Por quê? Você o amava?
— Não! É claro que não! Quero dizer... sim! Ou não... Não sei. Acho que não. Mas já amei, muito. Disso tenho completa certeza. Quando éramos mais jovens, eu o amava mais do que tudo e pautava todos os meus planos para o futuro de uma vida ao lado dele. Todos! Aos poucos fui percebendo o quão difícil era viver ao lado de Pablo e seu sonho. Eu era constantemente trocada: a máquina voadora era a única coisa sobre a qual ele conseguia falar. A única. Fiquei muito triste quando percebi que seria impossível continuar assim. Mas eu tinha um consolo ao menos: para mim, Pablo era uma daquelas pessoas predestinadas a grandes feitos, e esse seria o único motivo para nosso amor ter dado errado. Nada poderia ser maior do que a Ave de Rapina. Aceitei isso de bom grado. Aceitei o destino de Pablo e me mudei para longe dele a fim de minimizar a dor. Mas, quando voltei... quando voltei... percebi que ele só falava de você. O tempo todo. Você era o grande sentido da vida dele, e isso... Você entende? Só assim eu percebi que o problema não era ele, mas eu que não era a pessoa certa. Isso me doeu. Doeu muito.

O que dizer em uma hora como aquela? Passei tanto tempo embriagada em meu luto que não percebi: eu não era a única que sofria. Eu não estava sozinha.

— Você tem um plano? — perguntei.
— Sim. Quer dizer... metade de um plano. Eu tenho guardas infiltrados no castelo que obedeceriam a qualquer pedido meu. Juntos já descobrimos um jeito de roubar todas as plantas da Ave de Rapina. O grande problema, no entanto, é que isso seria inútil se o rei ainda tiver as três réplicas construídas. As cópias serviriam de base para a criação de novos equipamentos.

— Você tem guardas infiltrados na proteção das máquinas voadoras?

— Três, o que não é suficiente! Eles não conseguiriam arrastá-las para fora do castelo sem serem descobertos, muito menos saírem voando de lá com elas.

— Podemos destruí-las.

— Também pensei nisso, mas, ainda assim, meus guardas não teriam tempo o bastante. Quebrar uma máquina daquele tamanho para torná-la irreparável levaria tempo, e precisamos agir com rapidez.

Parecia uma loucura, mas eu sabia a solução.

— Podemos queimá-las.

CINCO

Era um esquema arriscado, com inúmeras chances de dar errado. Se algo saísse do planejado, tudo iria por água abaixo, e teríamos de enfrentar as consequências de desafiar o rei.

Tentava me lembrar de todos os passos da estratégia enquanto estava escondida no porta-bagagem da carruagem, coberta com mantos pretos, atravessando os imensos portões do castelo e reunindo toda a coragem que ainda me restava.

— O rei sabe desta visita de Vossa Alteza? — perguntou uma voz que imaginei ser de um dos guardas reais.

— Diga que a Princesa Isabel deseja vê-lo em razão de uma urgência. Ele certamente a atenderá — respondeu a voz que eu sabia ser do chofer.

Um dia antes, Isabel e eu passamos horas acertando os detalhes do plano, repassando-o várias vezes, tentando descobrir o que poderia dar errado e o que faríamos caso isso acontecesse. Isabel era uma mulher inteligente, e, juntas, descobrimos o que imaginávamos ser o único meio de conquistar o nosso objetivo.

"O chofer posicionará a carruagem bem próximo à casa de ferramentas", Isabel explicava o plano. "Meus guardas infiltrados deixarão a porta destrancada. Ninguém entrará lá — fique tranquila, mas seja rápida!"

Fui rápida. Em um só fôlego, saltei da carruagem e entrei na casa de ferramentas sem que ninguém me visse. Era muito escuro lá dentro. Pensei pelo lado positivo: seria mais fácil me esconder no escuro caso alguém entrasse inesperadamente. Eu já era oficialmente uma invasora da propriedade da realeza, passível de ser punida por crime de traição — fora o fato de que a acusação de uso ilegal de magia se somaria à sanção, culminando, provavelmente, em prisão perpétua. Digamos que estava fazendo algo novo no meu dia, conforme a "Cartilha Pablo" de como levar a vida.

Isabel estava dentro do castelo nesse momento. Ela tinha inventado um pretexto político para encontrar-se com o rei a fim de que nós duas pudéssemos nos infiltrar no local. A situação de Isabel era delicada, pois ela precisava estender a conversa por tempo suficiente para um dos guardas lhe entregar as plantas roubadas e eu cumprir a minha parte do plano.

"Eles lhe darão um sinal quando for a hora certa de sair", Isabel disse. "Baterão à porta duas vezes."

Fiquei atenta esperando o toque, com medo de me distrair por um segundo e não ouvi-lo. O que aconteceria se esse toque nunca ocorresse? Quando seria seguro fugir?

Depois de dez minutos, ouvi os tais dois toques. Abri a porta e dei de cara com dois guardas. Meu corpo inteiro gelou. Um deles colocou o dedo indicador na frente da boca em sinal de pedido de silêncio.

— Você precisa ser rápida — ele disse. Eram os nossos cúmplices.

— Onde está? — perguntei buscando não aparentar o nervosismo.

— Venha comigo! Fique tranquila, pois o trajeto estará limpo. Nós somos os responsáveis por esta área.

Corri logo atrás deles, pisando da forma mais suave possível e olhando para todos os lados. Sempre que ouvíamos um barulho, parávamos por um segundo a fim de verificar se estava tudo bem e, então, prosseguíamos o trajeto.

No percurso, fui tomada por certa calma ao me lembrar de que a parte mais difícil do plano já fora realizada na noite anterior. Uma parte tão difícil que eu e Isabel gastamos horas pensando em um modo de realizá-la. Era necessária a ajuda de uma druida para pô-la em prática. Felizmente, eu sou uma e conheço outras.

Chegamos ao local onde as três réplicas da Ave de Rapina (um pouco maiores do que a original) nos esperavam imponentes. Parei diante delas, respirando pesado.

— Rápido! — ordenou um dos guardas. — Se alguém aparecer, nós saberemos para onde correr e não vamos nos importar em deixá-la para trás!

Uma ameaça de morte — tudo que eu precisava naquele momento. Respirei fundo. Eu sabia o que tinha de fazer e não podia falhar.

Teria de me concentrar o máximo possível, como nunca antes. Fechei os olhos e tentei não ouvir os guardas, focada em prestar atenção apenas na natureza e em mais nada. Apenas na lembrança de Pablo. Ergui os braços em paralelo e fiz a maior força possível, concentrando a energia em minhas mãos e convocando as forças da magia. "Se a natureza é infinita, logo a magia também é" — a frase da Mestra ecoava em minha cabeça.

Quando abri os olhos, percebi que já estava acontecendo: uma trepadeira começou a subir, envolvendo cada uma das máquinas voadoras. Tomava aquelas réplicas como suas, subindo nelas como um dia subira no criador da invenção, com a diferença de que, desta vez, estava mais decidida e disposta, apesar de os ramos serem secos.

O esforço quase me fez perder a consciência. Entrei em um estado de concentração tão forte que nem um furacão me tiraria dali. Muito menos o medo.

Essa fora a primeira magia realmente relevante que fiz. Muitos considerariam impossível, mas consegui envolver parte das três máquinas voadoras usando a minha magia.

Quando terminei, estava exausta. Meu coração batia freneticamente, minha respiração estava ofegante. Agora os equipamentos estavam interligados pela planta como se fossem um único grande arbusto seco.

Virei para trás e vi os guardas cúmplices olhando extasiados para o meu feito. Estavam tão admirados que pareciam ter se esquecido do risco iminente que corriam. Quase os deixei ali apreciando minha obra-prima só pela vaidade.

— Podem trazer! — ordenei, surpresa com o meu poder de liderança.

Um dos guardas saiu correndo e voltou trazendo o ainda sonolento Magrelo.

Implantar o dragão-anão no castelo fora a parte mais difícil do plano, realizada na noite anterior. Convoquei Camila, minha amiga druida, para usar seus feitiços a fim de amansar Magrelo de modo que fosse transportado sem problemas. Durante a manobra, o dragão parecia até ensonado, bem diferente de toda aquela energia que ele costumava esbanjar quando queria brincar — o que, no caso, era sempre. O exótico animal entrara no castelo escondido dentro de uma carga de feno.

"Não poderíamos usar... tochas?", sugeri enquanto ainda tentava manter a existência de Magrelo em segredo.
"Nunca daria certo", Isabel argumentou. "Nenhuma tocha faria a chama rápido o suficiente e com tanta força. A não ser que você conheça alguém capaz de conjurar fogo com o poder de um dragão — ou um dragão de verdade."
Então eu contei. Falei tudo sobre Pablo e o dragão-anão, sentindo-me especial por ser a detentora do segredo.
"Uau!", ela exclamou.

Olhei para Magrelo, que bocejou em resposta.

"Ele é o álibi perfeito!", Isabel exclamou.
"Eles podem machucá-lo!", retruquei.
Isabel forçou uma risada.
"Um dragão?!", perguntou. "Como vão machucar uma espécie ameaçada de extinção que mal sabe o que faz?"
"Eu quero Magrelo de volta", reforcei.
"Tudo bem. Tudo fica mais difícil agora, mas dá-se um jeito".

— Vai dar tudo certo! — falei para Magrelo. — Ou nós dois saímos, ou nós dois ficamos. Você está a salvo. Este reino respeita mais os animais raros do que as pessoas.
Posicionei o dragão bem de frente para as réplicas da Ave de Rapina.
— FOGO! — gritei.

Como se soubesse que estava fazendo aquilo por Pablo, Magrelo saiu de seu estado de torpor e soprou uma poderosa rajada. Graças à trepadeira seca que conjurei, o fogo se espalhou rapidamente entre as máquinas. Em questão de segundos, tudo se tornou uma enorme bola de fogo.

Foi triste ver a destruição daquelas máquinas, que representavam o sonho de Pablo... Porém era necessário. Precisávamos evitar um mal maior.

De imediato um dos guardas puxou meu braço, arrastando-me até me jogar debaixo de uma enorme carga de feno em uma carroça. Pensei em gritar por Magrelo, mas tive medo. No instante seguinte, jogaram o dragão para perto de mim e fecharam a portinhola. Estávamos embaixo da carga, sem poder enxergar nada. Passei aquele tempo me preocupando em não deixar que Magrelo se agitasse, para que continuasse em silêncio.

Lá de dentro pude ouvir o som das labaredas e o agitar dos guardas que chegavam ao local.

— Miguel! — chamou uma voz. Pelos passos, era como se a pessoa se aproximasse correndo. — Miguel! — A voz estava mais próxima agora. — Miguel, o que aconteceu?

— Baderneiros, senhor! Da união rebelde ou do bloco negro. Eram muitos! Invadiram o castelo! Não pudemos impedir que queimassem as máquinas voadoras... — respondeu um guarda.

— Pelos deuses... Eu sabia que exibir essas máquinas no jornal não era uma boa ideia. Onde estão os revoltosos?

— Provavelmente ainda estão na propriedade.

— Então iniciemos o protocolo!

— Sim, senhor!

Isso era exatamente o que eu estava esperando ouvir.

"A primeira providência que qualquer castelo toma quando inicia o protocolo de segurança", Isabel disse, "é transportar todo o feno, os alimentos e as folhas de chá para um lugar seguro."

Depois de cinco minutos de espera, começamos a nos deslocar. Iniciaram o protocolo de segurança, o que significava que me carregariam para fora do castelo pela porta da frente.

"Teremos um infiltrado que desviará a sua carroça para uma direção segura."
— Estamos seguros, Magrelo — falei sorrindo. — Estamos seguros!
O dragão já dormia novamente.
Passado um bom tempo, a carroça parou. E foi a própria Isabel quem abriu a portinhola, olhando-me com ar preocupado.
— Você conseguiu? — perguntou.
— Sim! Eu consegui! — respondi.
Ela sorriu. Ajudou-me a descer e me abraçou. Estávamos em um campo aberto, longe da cidade, cercadas de homens com as fardas do reino — deduzi serem todos os infiltrados que nos ajudaram a pôr o plano em prática.
— E você conseguiu as plantas?
— Foi difícil, mas conseguimos!
— O que acontece agora? — perguntei.
— Há um navio me esperando agora mesmo. Partirei com estes rapazes. Pediremos proteção política em outro reino. Quando estiver segura, entregarei uma carta confessando meu crime. Você foi perfeita. Nunca chegarão a você.
Ela olhou para trás de mim, onde Magrelo dormia tranquilamente.
— Podemos levar o dragão se quiser.
— Não é necessário. Ficaremos bem.
— Você é quem sabe.

Olhei para Isabel sem saber o que dizer. Ela soube.
— Pablo ficaria muito orgulhoso de nós duas.
Eu sorri.
— Sim, ficaria.
— Então... adeus, Melissa.
— Adeus.
Demos um último forte abraço.
— Pablo tinha razão em amar você — Isabel sussurrou em meu ouvido.

SEIS

Eu estava decidida a me tornar uma Completa.

Há muito o mundo fora do mosteiro não parecia tão bom quanto antes. A comida tinha menos gosto, as pessoas eram menos interessantes, e as paisagens ostentavam menos cores. De repente, não me importava tanto em abrir mão do mundo em troca de um sentido para a vida, um ambiente calmo e uma ocupação diária.

Penteei os meus cabelos e saí de casa convicta de que voltaria uma pessoa diferente. Voltaria comprometida com a magia e a natureza. Iria até o mosteiro informar sobre minha decisão de viver lá depois da conclusão do meu treinamento, voltaria para casa e avisaria a minha família. Como ainda faltavam alguns meses até o término do treinamento, teria tempo para arrumar as malas e me despedir de todos.

Imaginei que meus pais poderiam chorar e, ainda assim, ficarem orgulhosos. Alguma irmã (provavelmente Raquel) tentaria, em vão, me fazer mudar de ideia. Eu estava convicta. Passaria as tardes ensinando jovens garotas sobre magia. Meditaria pela manhã e treinaria à noite no único ambiente onde era permitido canalizar energias mágicas sem ser repreendida pela lei. Tão ocupada que quase não teria tempo para sentir dor.

Caminhava a passos largos e firmes, mostrando para o mundo que eu não mudaria de ideia, sentindo (ou seria desejando?) que alguém pularia de trás de uma árvore para tentar me impedir. Essa pessoa falharia. Eu lutaria bravamente até escapar de seus braços e correria até o mosteiro para completar minha missão. Eu me tornaria uma Completa.

Não encontrei nenhuma entidade disposta a me agarrar ou impedir meu trajeto, mas, ao passar pela feira, os cabelos ruivos de uma moça me chamaram a atenção. Ela usava as vestes comuns de uma camponesa. Escolhia frutas tranquilamente, separando as de bom aspecto.

Aquela moça era Irish.

Aproximei-me, tentando acreditar que encontrava a Completa renegada. Ela sorria, e isso me fez reparar que eu nunca a tinha visto sorrir — que desperdício! O sorriso lhe caía muito bem.

Irish me reconheceu.

— Melissa! Como você está?

— Eu... estou bem.

Ela me abraçou. Até então, eu acreditava que Irish era feita de éter, mas pude sentir seu corpo e seu cheiro ao me tocar. Uma pessoa real.

— Eu sinto tanta falta das meninas! — exclamou. — Estão todas bem?

— Sim... estão. — Não pude deixar de emendar a pergunta: — E você? Está bem?

— Estou ótima — respondeu. — Vou casar! Moro com minha noiva não muito longe daqui.

Tentei não parecer tão impressionada. Irish estava vivendo como uma pessoa comum, com a sua amada.

— Você não parece muito bem disposta. — Irish disse olhando para mim. — Talvez devesse ir para casa, tomar algo... Nós nos falamos melhor em outro dia. Até mais, Melissa!

— Até...

Eu pude enxergar os fios de cabelo ruivo se afastando. Irish andava graciosamente. Parecia feliz. Não pude me conter: corri atrás dela.

— Irish, por favor!

Ela parou ao me ouvir chamar e esperou que eu a alcançasse, ofegante.

— Eu quero perguntar a você uma coisa — falei. — Posso?...

— Eu sei o que você perguntará, Melissa, mas não sei se poderei responder satisfatoriamente. Meu coração não me dizia para ser uma Completa. Quando encontrei minha namorada, tive a certeza de que fizera a escolha errada, porém não aceitei isso de cara. Passamos a nos encontrar escondido, o que foi um erro, pois durante muito tempo vivi entre dois mundos, o que é o mesmo de não viver em nenhum. — Imaginei a jovem de cabelos ruivos andando furtivamente para encontrar seu amor no meio da noite, temendo ser vista. — Ao ser descoberta, fui pega de surpresa. Apeguei-me ao mosteiro, então implorei para ficar, pois sentia que isso era mais fácil do que mudar e encarar um futuro incerto. Arrependo-me disso. Eu não podia continuar fugindo do que sou.

— Eu vou me tornar uma Completa — falei. — Hoje anunciarei isso à Mestra.

— Se você acredita ser isso que seu coração quer, então faça. Mas, Melissa — ela suspirou antes de continuar —, eu sei o que se passou com você. Todos em Amberlin sabem, o que deve tornar tudo ainda pior. Se você estiver fazendo isso para fugir das duras lembranças, saiba que não é uma decisão sábia. Não há como fugir. Você irá se machucar e se arrepender em qualquer lugar. Isso faz parte de estar vivo. O que você precisa saber é que deve escolher as coisas pelas quais vale a pena sofrer. As coisas por que vale a pena se arriscar.

Eu entendi o que Irish dizia. Se, ao conhecer Pablo, tivessem me avisado que eu sofreria tanto, talvez tivesse corrido dele. Seria uma escolha sensata, limpa. Mas isso apagaria todos os momentos que tivemos juntos, incluindo as horas que passamos no jardim, o nosso primeiro beijo, aprender a escrever de olhos fechados... Escolher não sofrer por essas coisas seria um erro imperdoável.

Voltei para casa como uma druida comum e com a certeza de que nunca me tornaria uma Completa. E logo notei que foi uma escolha acertada, pois, ao regressar tão cedo, pude ver quem me esperava em frente ao portão, sentada em uma cadeira de madeira que meu pai construiu.

— Senhora Eax! — exclamei.

— Oi, querida! — A mãe de Pablo se levantou e me cumprimentou. — Você parece surpresa.

— E não deveria estar?

Ela riu.

— Gostaria de caminhar um pouco?

— Caminhar?

— Sim. O clima está propício para isso.

— Claro.

Começamos a andar calmamente pela cidade. Todas as pessoas olhavam para nós. Todos sabiam quem éramos. Eu estava quase me acostumando com aquilo, já a senhora Eax devia ter se habituado há muito tempo.

Ela ainda aparentava estar um pouco abatida (como eu mesma, diga-se de passagem), porém era inegável que estava consideravelmente melhor desde a última vez que nos encontramos.

A senhora Eax puxava assunto sobre coisas banais, como as frutas da feira ou o tempo. Até que nos sentamos em um banco afastado do movimento.

— Então as cópias da Ave de Rapina foram todas queimadas em um incêndio criminoso?...

— Eu não sei nada sobre isso!

Ela soltou uma gargalhada e piscou para mim.

— Estou orgulhosa de você. Pablo também estaria.

Senti mais segurança depois desse comentário e sorri de volta para ela.

— Isabel levou as plantas com ela.

— Ótimo! Vocês formam uma boa dupla. — Pousou a mão sobre a minha quando o assunto ficou mais sério. — Melissa, gostaria muito de pedir desculpas pelo nosso último encontro. Mesmo que Pablo fosse aficionado do céu, ele era, na verdade, o meu chão. Quando você perde algo assim, nada mais faz sentido... Até perceber que só o fato de ele já ter existido é um sentido por si só.

Eu entendia completamente o que ela dizia.

— Não precisa pedir desculpas — falei.

Ela sorriu para mim. Seus olhos viravam apenas duas fendas quando ela o fazia.

— Existe mais um motivo para minha visita. Vim lhe trazer este presente.

Estendeu-me um caderno, que parecia um pouco malcuidado, da mesma forma que Pablo mantinha os seus pertences pessoais. Foi fácil reconhecer a capa roxa. Eu já vira aquele caderno antes.

— O diário de Pablo! — exclamei. — Eu não posso aceitar.

— Aceite, por favor. Eu percebi que fiquei com todos os pertences dele, e você deveria ter pelo menos uma lembrança. Fora isso, nada mais justo que este diário pertença a você. — Piscou para mim e sorriu. — Nele

Pablo fala muito sobre você.

Depois disso, não tive como recusar. Despedi-me e voltei para casa segurando o diário com ambas as mãos, como se ele pudesse fugir ou desaparecer. Minha mente fervilhava imaginando que tipo de coisas Pablo poderia ter escrito ali. Será que ele escrevera de olhos fechados? Quais eram as novas experiências diárias que ele havia vivenciado?

Não entrei pela porta da frente de casa — não queria encontrar ninguém. Novamente, estava guardando o momento só para mim.

Deitei em minha cama e respirei fundo. Aquele seria o último sopro de novidade de Pablo em minha vida.

Abri na primeira página e, antes de começar a ler, tornei a fechar. Comecei a chorar. E se aquelas páginas não trouxessem nenhum alívio? E se só piorassem a minha dor? E se ele dissesse algo ruim no diário que estragasse toda uma possível ilusão que eu alimentava sobre nós?

Abri, desta vez, na página do meio. Consegui distinguir sua letra dizendo "dia três de...".

Tornei a fechar.

Envolvi o diário em um lençol, com todo o cuidado do mundo, e o guardei embaixo da minha cama. Eu não estava pronta para aquilo. Imaginei que talvez nunca estivesse.

SETE

Marga tossiu muito mais do que o normal naquela visita. Continuou tossindo por quase cinco minutos, mesmo depois de beber o copo d'água que lhe ofereci.

Fui recebida com o mesmo sorriso de saudação de sempre e percebi que, como na toca de Magrelo, o tempo aqui parecia não andar da mesma maneira. Depois que repeti o meu processo de verificar se tudo andava em ordem, sentei-me ao seu lado, e, pela primeira vez, foi Marga quem fez a primeira pergunta.

— E como você se sente?

Complexo.

— Não sei — respondi. — Um monte de coisas ao mesmo tempo. É uma sensação esquisita, como se não fosse existir o próximo minuto do mundo, e, quando esse minuto surge, simplesmente não estou preparada para ele. Entende?

— Sim, amor. Entendo perfeitamente.

— É tudo tão... errado! Não deveria ser assim. É tudo tão sem sentido e sem propósito que tenho certeza de que o mundo não deveria funcionar dessa forma. Nós tínhamos planos para os próximos cinquenta anos... Estávamos construindo algo, e agora tudo foi em vão — desabafei.

Marga sorriu para mim.

— Melissa, ninguém passa por nossa vida em vão. Absolutamente nada é inútil. — E voltou a tossir, mais debilitada ainda do que antes.

Ela estava certa.

Naquela noite, peguei o caderno de Pablo debaixo da cama e sentei-me para ler, aproveitando cada segundo do momento. Senti o cheiro do meu namorado no couro da capa — podia ser apenas a minha imaginação, eu não ligava.

A Lua estava cheia e reluzente. O céu limpo, ideal para voar.

Resolvi abrir na última página.

Pela data, o texto fora escrito na época em que tínhamos brigado. Não me deixaria intimidar: respirei fundo e li.

"Olá, caderno de memórias.

Eu sempre soube que queria voar, mas nunca soube o porquê. Encontrei um milhão de funções sociais para o meu objetivo e as propaguei como se fossem verdade, mesmo sabendo que, para mim, nunca foram.

Recentemente encontrei os melhores motivos para voar. Descobri que, se alçasse o meu balão alto o suficiente, era possível enxergar com o meu binóculo as inúmeras ruas e vielas do reino. Dessa forma, dava para ver as pessoas andando de um lado para o outro, vivendo sem saber que eu as observo, quase como um fantasma.

O meu horizonte se expandiu de tal maneira que eu pude entrar na rotina de Melissa novamente. Lá de cima, enxergo tudo: consigo vê-la saindo de casa, indo para a escola, conjurando flores por onde passa. Do alto me sinto em paz, apenas por saber que ela existe.

Eu nunca fui de lutar contra as definições técnicas, mas o dicionário me ensinou que o amor está intrinsecamente relacionado a estabelecer uma conexão emocional com alguém que possa responder sensorialmente a esse sentimento. E ele está claramente errado. Tão errado quanto poderia estar.

Melissa não precisa me responder para eu amá-la. Melissa não precisa me ver para eu amá-la. Melissa não precisa nem saber que eu existo. Só de saber que ela existe, eu já a amo. É tão natural quanto escrever de olhos fechados, quanto respirar ou sentir sede. Eu simplesmente a amo por eu ser Pablo, e ela, Melissa. É assim que tem de ser, independentemente da distância.

Foi assim na primeira vez em que a vi, e simplesmente soube que tinha de fazê-la sorrir. Isso não é magia nem ciência. Não é ceticismo nem romantismo. É algo que acontece, e eu não faço questão nenhuma de que faça sentido. Já desisti de entender todas as coisas do universo, uma vez que encontrei as melhores perguntas em Melissa.

Eu vou sentir tanta falta dela... Tanta. Ainda assim, acredito que mais vale sentir essa dor do que nunca ter conhecido Melissa. Pois é infinitamente preferível sentir a dor sincera da perda do que o vazio que se instaurava em nunca possuir. Para mim, sofrer por ela é um privilégio que aceito de bom grado.

Obrigado, Melissa."

Obrigada, Pablo.

OITO

Mesmo em sua precária condição de saúde, Marga sempre cuidava de mim quando eu estava doente. Naquela manhã, acordei me sentindo mal e corri para os braços da minha avó. Ela me ofereceu chá e me deu uma coberta, como de costume.

— Pegue um balde no armário — Marga disse. — Para o caso de você querer vomitar.

— Eu não estou sinto que vou...

— Apenas para o caso de querer.

Mesmo sem entender, busquei o tal balde.

— Converse comigo — Marga falava baixo, mas sorria. — Não quero que você durma agora.

— Não tenho muito o que falar. Estou trocando correspondência com Isabel, que confessou seu crime, mas o ato foi entendido como uma manifestação política. Sem contar que ela é da realeza, e a Justiça não costuma punir gente dessa classe. Ela deve receber uma pena leve, se receber. Também comentamos como sentimos falta dele... — Meus olhos foram ao chão quando me lembrei de Pablo. Nunca mais veria seu sorriso de canto de boca.

— Eu sei como se sente. Mesmo quando a pessoa sai do topo de nossa mente, ela continua visitando uma parte secundária dos nossos pensamentos de forma constante. Sempre presente, mesmo quando você não repara.

— Exatamente isso...

Respirei fundo antes de continuar falando. Passei a me sentir um pouco tonta.

— Eu não contei para ninguém, mas recebi um diário de Pablo, no qual ele escreveu algo sobre como amar e perder é melhor do que nunca ter amado. Por algum motivo, aquilo me deixou muito mais leve.

Esperei que Marga me interrompesse para falar algo, mas ela permaneceu calada. Eu esperava um desabafo.

— Nunca estive tão grata por ter conhecido alguém como ele. De verdade. E eu não sei para onde ele foi. O mundo está repleto de mistérios, e a maioria deles nunca será solucionada, muito porque o dono da maior mente do nosso século não estava tão preocupado em descobrir os segredos do cosmos, do universo e de tudo mais. E eu me sinto honrada por isso. Honrada. Mas... ainda assim...

Um fio de lágrima escorreu pelo meu rosto. Odeio perder o controle da minha voz, mas é muito difícil segurar o choro e falar ao mesmo tempo. Nossa voz nos entrega na primeira frase fora do tom.

— Mas é injusto, não é? Por que ele esteve neste mundo, então? Ele fez a Ave de Rapina, é claro, mas... é só isso?

— Marga colocou suas mãos sobre as minhas. — Ele sempre me falava sobre um legado. Ele queria deixar um legado. Essa parte é o que me deixa frustrada às vezes. Ao menos isso Pablo merecia.

Chorei.

Marga me puxou para perto de si. Encostou minha cabeça em seu ombro e passou a acariciar os meus cabelos, com a sua mão trêmula.

— Sabe, Melissa, fui eu que fiz o seu parto. Quando você nasceu, era tão pequena que cabia na palma da minha mão. Quando eu a vi chorando em meus braços, fiquei maravilhada com um pequeno fato: você era um ser vivo sobre o qual eu sabia tudo que havia para saber. Você mesma disse que o mundo é cheio de mistérios, com toda razão, porém, naquele momento, existia uma pessoa cuja história de vida eu tinha acompanhado por completo: todos os seus doze minutos de existência aconteceram bem ali, na palma da minha mão. Eu imaginei que, com o tempo, você cresceria, e esse sentimento desapareceria, mas isso nunca aconteceu. Você permaneceu tão transparente comigo que eu posso ler você a qualquer momento, talvez até melhor do que você mesma. Eu sei que você está destinada à felicidade, Melissa. Assim como sei que você está destinada a grandes atos... A construir a sua história. Quanto ao legado de Pablo, meu amor, não se entristeça com isso: ele deixou um grande legado para nós.

— Eu sei... A Ave.

— Não, Melissa. Pablo deixou algo muito maior do que qualquer máquina, monumento ou ciência. Ele deixou o maior legado possível.

Dizendo isso, Marga pousou suas mãos sobre a minha barriga. Eu a encarei incrédula. Marga sorria.

— Eu a conheço e posso ler você, Melissa. Melhor do que você mesma.

FIM

Este livro foi composto com as fontes
Magneta e Geotica e impresso em
papel Polen Soft LD 70g/m² na
gráfica Assahi na primavera de 2016.